JN079970

本気で、地域を変える

地域づくり 3.0 の発想とマネジメント

岩崎達也・高田朝子 著

晃 洋 書 房

は じ め に

　コロナ禍以降、人々の生活意識は大きく変わってしまった。日常生活を支える安心・安全の重要性が大きな位置を占め、これまで非日常を必要以上に求めていた人々の気持ちは、心地よい日常の追求へと移りつつある。コロナ禍だけでなく、従来からの国家の問題である少子・高齢化問題や、繰り返しやってくる自然災害など、国家を上げて対策を考えねばならない問題が山積している。しかし、緊急事態の際には国は頼りにはならず、自分の住む地域のつながりこそが重要であることを私たちは身を持って経験してきた。これから地方都市の役割はこれまで以上に大きくなる。地域は、これまでの経験や前例の中での施策による維持・存続ではもはや十分ではなく、新たな「攻め」の施策を考え、実施しければならない状況にある。

　地域づくり施策には、ベーシックなものの多くは援用できるが、その考え方の根底には、これまで以上に地域の独自性が重要になる。県や市は、DMO（Destination Management Organization）をつくり、積極的な地域振興やIターン、Uターン対策を行い定住人口や交流人口の増加を試みている。しかしながら、劇的な効果を生むという状況には至っていない。地域を衰退させるのは、地域の独自性を無くして、東京や大阪などの都会に倣うことである。大都市にはグローバル性や成熟した上での均質性が重要になるが、地域には住人の内発的な誇りを体現する独自の文化とその発露が、今後ますます重要になる。少子高齢化の流れの中で、縮小しながらでも高付加価値を持つ地域、そこにしかないアイデンティティを持つ地域こそが継続可能であり、また愛される地域になっていくだろう。

私たちは、少子高齢化やさまざまな災害による人口移動が伴う令和以降の成長なき時代の地域づくりを「地域づくり3.0」と名付けた。官主導で助成金による箱物づくりなどによる賑わい創出の時代が、「地域づくり1.0」である。次に官が主導し、産や学が協同し、住民も参加することでキャンペーンを創出、ゆるキャラやＢ級グルメなど自分たちの地域を他地域と競うことで、地域の元気感を醸成していった時代が「地域づくり2.0」。そして、地域住民の意思によってなされる内発的な自立を行政がサポートしながら、その地域ならではの魅力を創出し持続可能な地域づくりを目指すのが「地域づくり3.0」である。

　少子高齢化の進行と東京一極集中への流れが止まらない中、地方都市は継続的な衰退を余儀なくされている。しかし、悪い話だけではない。現在各地域には新たな施策の萌芽がある。まだ少数ではあるが、若者たちが都会から地方に活躍の場を求めて移動しているのである。メディアの構造もマスの時代から、SNS（ソーシャル・ネットワーキング・サービス）を中心とした人と人とのつながり（ソーシャルグラフ）による情報伝播の時代へと変わっている。情報発信もこれまでのように中央発信だけではなく、地域からでも十分に発信できる状況にある。それを創造し、プロデュースする人材が現在まだ地域には十分に育っていないだけである。

　今後、関係人口や交流人口を増やしていける地域とは、人々が明確なアイデンティティを持ち、人がつながり（コミュニティがあり）継続的に情報を発信できる、そういった生活のためのエコシステムが働く地域である。そのベースとなるのは、地域をこうしたいという内発的な意思であり、地域への誇りである。そして、地域のアイデンティティを確立するためにはまず、地域資源の整理と資源への光のあてかた（コンテンツ価値の発掘と創造）と地域を運営する人材選択と調達・育成も含めた人材基盤づくりが重

要である。地域にある独自の魅力（潜在的な可能性も含めて）をキュレーションし、あるいは育て、そこにストーリーを見出し継続的にマネジメントすること。また、それを実行できる組織の形成と人材づくりが今後の地域づくりにとって最も重要なことである。令和になって潮目は変わった。マス（量）が重要だった時代から、個々の魅力が重要視される時代へ変化している。そうなると各地域には大都市より優位なものがたくさんある。

●なぜ、どの地域の自治体も PR が下手だというのか

それは、共有できる物語がないからである。共有化できる物語は地域のアイデンティティそのものである。地域には多くの自然や特産物がある。四季があり、南北に長い日本には、地域によってそれぞれ特徴があり、それぞれの文化がある。食、歴史、景観、祭り、伝統工芸などの自然資源、歴史資源、文化資源がある。しかし、そういった貴重な地域資源も巧い光のあて方をしないと、ほかの地域と差別化できない特徴のないもの、どこでも同じようなコモディティ化したものになってしまう。

景観を構成する要素は共通である。山、海、湖などの自然遺産、棚田など田畑の農業景観、そして歴史的遺産は城や寺社などの建造物に集約できる。後は、それを見たり聞いたり、体験したりする人の主観である。たとえば食においても地域の食材がきちんとブランド化され言語化されていなければ、単なるおいしい海の幸、山の幸であって、圧倒的な旅の記憶にはならない。その時のおいしい感動を友人や家族に伝えるための心に刺さるフレーズにならないからである。そういった資源を地域アイデンティティとするためには、地域外の人たちに「そこにぜひ行ってみたい！」と思うような切り口でフレーム化し、物語として伝える必要がある。来てもらう

人にとっての無二の体験が得られるような物語にすることが重要である。

　地域づくりは、前述したように新たなフェイズに入っている。これまでの地域の魅力の提示の仕方も、地域そのものの魅力「モノ」から地域のストーリー「コト」、さらにはそこに行く「イミ」へと移行している。地域のストーリーに心が動かされ、さらにその土地や町に行く「イミ」を探し、行動に移す。ますます、地域資源への光のあて方（フレーミング）が重要になっている。現在は、自己実現のための消費が注目されるが、その土地を自分ごととして捉えてもらえるようなストーリーの創出が必要である。

　本書は、現在地域づくりに関わる人々、また今後、地域マネジメントを目指す地域の商店街２代目や学生たちにも有用となるよう実践的なものにした。知識を得ると同時に活用してもらえればこんなにうれしいことはない。

　　2021 年 2 月

　　　　　　　　　　　　　　　　岩崎達也・高田朝子

〈本書で示す地域再生までの流れ〉

```
地域の目標設定  →  地域資源の可視化  →  地域ブランドの知識
・「こうなりたい」     ・TAIモデルの説明。      ・地域ブランドの
 と現状把握          資源整理と選択の        方法とブランド
                    方法                  ストーリー

地域のモデルを創る  ←  組織と人
・実践。TAIを使って、    ・人を動かす組織の
 地域資源の整理、       つくり方
 検証                ・地域マネジメント
```

目　次

本気で、地域を変える
──地域づくり 3.0 の発想とマネジメント──

第1章　地域をどのように変えるのか

はじめに

　地域活性化という言葉を目にしない日はない。朝日新聞の記事を例に取ると、1990年には朝夕刊でこの言葉が使われたのは133回であった。徐々に使用頻度が増えていき、2000年には359回、2010年に920回、2015年には1113回に増加した。これをピークに徐々に減少するが、依然として年に800回を超える。単純に考えて、私たちは新聞書面でほぼ毎日2回程度この言葉を目にしていることになる。多くの場合、地域活性化の意味することは外国からの観光客を誘致し、地域経済を活性化させることと同義だった。その結果、日本中至るところの目抜き通りには同じような量販店とドラッグストアが乱立し、「どこにいっても同じ」風景が見られるようになった。

　ところが、新型コロナウィルスはインバウンド頼みの地域活性化を直撃した。各地域がそれぞれの為に新たな形を考えなくてはいけない時代になっている。考えてみると日本中の地域がインバウンド誘致という1つの方向に向かっていたことそのものが不自然だったのかもしれない。世界的な社会環境の変化を受けて、足元を見直し、新たな方向性を探す時期に入ったといえる。

　地域を変えるとか、地域活性化などと言葉にするのは簡単である。本を

読んでもインターネットを探っても、この種の言葉は安易に使われ、あたかも簡単なことかのような錯覚すら覚える。しかし、現実をみると人口減少という抗いきれない現実の中で、活性化に成功している地域は非常に少ない。

　一方で、ビジネスの視点から地域活性化は"おいしい"分野である。「地域活性化」「地域資源」「地域ブランド」などという言葉がついた助成金は、国はもちろん、各自治体でも多く出され、地域活性化に対する国や自治体の熱い思いが示されている。このお金に対して大きな助成金獲得マーケットが成立しており、多くの人が群がり、さまざまなレベルの提案がなされている。さまざまな人がそれぞれの夢を追いかけ、多くのミスマッチと混乱と少しの成果が発生しているのが地域活性化の現状である。

　活性化とはなにか。何をどうやると活性するのか。そしてそのために、どのように地域を変えるのかという具体性を持った話になるとそれぞれの人がそれぞれの目線と言語で目標を語り出し、非常に曖昧なものになる。群盲象を評すの如しである。

　単に観光客が来てお金を落とす方向に持って行くのか、Iターンを増やす施策で人口増加を狙うのか。企業の工場や研究所、あるいは大学といった既存の組織体を誘致するのか。何かを建設するのか。起業を促す施策をとるのか。ふるさと納税を増やすのか。一言で地域活性化といっても数え切れないぐらいの切り口がある。最終的に具体的に何をめざし、どのような切り口で進めるのかは、それぞれの自治体、それぞれの団体、それぞれの人によって考えていることが違う。同床異夢の状態が蔓延し、地域活性化をなんとも言えない胡散臭いものにしている。

1　地域づくり 3.0

　現在、地域づくりは 3.0 の段階に入っていると本書では考えている。

　地域づくり 1.0 は従来型の地域づくりである。1.0 の主役は行政である。官主導で助成金が投入され、多くの箱物がつくられた。施設をつくることによってそこに人が集まり何らかの社会活動や、商業活動が活性化するだろうという期待が地域づくりの中心にあった。供給側の論理でことが進んだのである。確かに、経済成長が極めて著しい時期は、住宅街も含めて何らかの箱物をつくることによって人の流れが生まれ地域が自然と活性化してきたことは否めない。しかし、時間の経過と共に行政主導で何かをつくったとしても、そこに人々がついてくることが少なくなった。

　バージョン 2.0 では主体は住民と行政の半々になる。「住民発の○○」がうたい文句である。たとえば、くまモンに始まる「ゆるキャラブーム」や、ご当地グルメブームもその 1 つであろう。観光立国狂騒とインバウンドブームも構造は同じである。民間の力を借りて何かを興し、そして行政が後押しする。一見素晴らしいようにみえる 2.0 も良く見ると供給側の論理が強い。そこに新しいプレーヤーとして入ってきたのが、広告代理店であり企業であった。

　多くの企業、特に大都市に本社を置く大企業が、地域づくりに参入したことは、地域の経済的繁栄という点では好ましいことだったのかもしれない。しかしながら、結果的には地方の均等化を生み出した。地域の独自性は希薄化し、類似性の高い町並みが日本中で見られるようになった。

　バージョン 3.0 の主役は地域とそこにいる住民や何かをしようという意思を持っている人々である。行政や代理店はそのサポート役である。自

分たちで「こうなりたい」を考え、自立自走する。もちろん、すぐに生まれるものではなく、痛みを伴うことは必須である。しかし、コロナ災禍を経験した後に地域が新しい形になるために必要な痛みである。

本書は地域が何らかの形で自立可能、自走できるヒト、モノ、収入を得る為にはどうするか、その為のシステムをどうつくるのかについて、ビジネススクールに勤めるマーケティングと組織行動学の研究者の二人が示したものである。地域でどうやって儲けるかではなくて、地域がどのようにして儲けることができるか、地域が自分の力で経済活動を活性化させるためにはどう自らを変えていくのか、のヒントを提供することがこの本の目的である。

 2　思いがないと始まらない、思いだけでも始まらない

職業柄多くの「地域を変えたい」という熱い志を持った人々とお目にかかる。しかし、どのように変えるのかという具体策となると途方に暮れてしまう人々が多い。昔、「どげんかせんといかん」という言葉がはやったことがあった。元々は宮崎県知事選挙で言われた言葉であったが、日本中の多くの人が持つ地域停滞への不平や不満がこの言葉に共振し、その年の流行語大賞を受賞しひとつのブームをつくった。

地域を変えるという側面で考えると、「どげんかする」の思いだけでは不十分で、何をどうするかを具体的に考えて、皆で共有して実行しないと単なる熱狂だけで終わってしまう。

思いだけでなんとかなるのであれば、凄まじい速度で進んでいる日本国内の限界集落化はもっと緩徐な歩みになっていたはずである。思いがあっても、できることとできないことがある。努力すれば何とかなるものと、

ならないものがあるのは当然で、まず冷静に自分たちの置かれている環境を理解し、分析し、そこから始まるべきである。ところが、「どけんかせんといかん」と闇雲に動く人たちは、マスコミに取り上げられている、又はインターネットなどのメディアでとりあげられている他所の成功例をみて、そのまま自分の地域に取り入れようとする。他人の成功に乗っかろうとするのである。そしてそのほとんどは成功しない。

●"乗っかった"末のゆるキャラの屍 ── 2.0 の終焉──

最もわかりやすい例が、先に示したくまモンやひこにゃんで代表される一連のゆるキャラブームであろう。2011 年にゆるキャラグランプリを受賞したくまモンは、キャラクター使用料は無償とし、県の宣伝や県産品の販路拡大に使われた。くまモンの熊本への観光客増加と利用商品の売上げを合わせた経済効果は、2011 年から 13 年の間で約 1244 億円（日本銀行熊本支店試算）とされ、熊本県のパブリシティ効果は莫大といわれた。多くの人がくまモンのいる熊本、お城のある熊本と熊本県を認知し、熊本県へのポジティブなイメージを持った。

くまモンの大成功以降、日本中の自治体が雨後の筍のように似たようなゆるキャラをつくり、世に出した。公式サイト（http://www.yurugp.jp/jp/）によると 2011 年に始まったゆるキャラグランプリに参加したゆるキャラは、2011 年は 348 体、12 年 865 体、13 年 1580 体、14 年 1699 体と増え続けたが、16 年をピークに下降減少がおき、現在（2020 年）では 900 体を割り込んでいる。

冷静に考えてみると、日本中の多くの自治体が似たようなフォルムのゆるキャラを持っているということ自体が不思議な話である。あまりにゆるキャラの数が多くなりすぎて、何がどの地域を代表しているのか誰もわからない。そもそもキャラクター類は人々の愛情や愛着に訴求する存在であ

る。そして、キャラクター類は生活必需品ではない。生活が豊かになるための存在である。そのかわいらしさ、新規性などキャラクターとしての魅力で人々に訴求して、愛情や愛着を得るのである。

　しかし、ゆるキャラはキャラクターとしての魅力が第一に考えられているのではなく、自治体の訴求したい何かを具現化することが第一義である。キャラクターとしての完成度を見た時に、万民の愛情や愛着を受けるに足りる完成度を持っているものは極端に少ない。確かに初期の頃は「かわいい」「珍しい」「新しい」があいまって自治体名の広報効果は絶大とされた。雨後の筍のごとく多くの似たようなゆるキャラができた結果、広報効果はほとんど期待できなくなる。似たような丸いカラフルな物体がマスコミに露出し、飽きられた。ゆるキャラの制作費と活動を維持する経費も馬鹿にならず、つくったはいいけれど役所の倉庫の片隅に屍として追いやられているゆるキャラは後を絶たない。

　自分たちの地域の資源や思いや立ち位置を確認することなく、単にほかの自治体が成功しているからという理由で真似をし、ブームに乗っかろうとしたものの叶わず、ゆるキャラの着ぐるみの残骸だけが残った。現状、日本中どこにいっても、謎のゆるキャラにお目に掛かることができる。

　地域に人を呼びたい、地域をなんとかしなくてはいけないという思いが「ゆるキャラ狂想曲」になったことは否めない。思いがあるということは重要で、思いがないところには何も生まれないので、変化のための素地はできていることになるのだが。

　地域を変える方法は、単に助成金をとって何かをつくり、もしくは何かのイベントを行ってそれで終わると言うことでは断じてない。もちろん、助成金を否定するわけではない。大事なことは自分たちの地域にあった仕組みや仕掛けをつくり、それを自分たちの手で自走させ、継続するところ

までやって初めて地域は変わる。仕組みや仕掛けをつくり、それを「廻す」ことなしには地域は変わらない。そしてこれはとても長い時間を要する。

3　「変える」ための3要素
──人、将来図「こうなりたい」、勇気──

(1) 思いを持った人と将来図

　何かを変えるという行為には3つのものが不可欠である。まず、人である。そこに住む人なのか、自治体の職員なのか、その土地に関係する第三者なのか。所属はどうであれ、地域のためにやり遂げようというかなり強い意志を持った人の存在は不可欠で、これなしには何も動かない。2つ目は「こうなりたい」という将来図と、「現状はこうである」明確な状態の把握である。3つ目は一歩を踏み出す勇気である。

　思いを持った人は多く居るだろう。しかし、どうやっていいのかわからず混沌としているのが現状である。「こうなりたい」という具体的な将来図を書ける人、持てる人は少数派である。そして「こうなりたい」は空から振ってくるものでも、何かを上手に模倣してできるものでもない。現状はどうなのか、精緻に見つめて、自分たちがどうなりたいのかを真剣に考えて、考えて、その結果として新しく生まれてくるものである。最も重要なのは描いた「こうなりたい」を実行するために踏み出す勇気であり行動である。この3つが揃わないと何も変化はしない。

　さらに言えば、自分たちの場所だけがイベントによって瞬間風速的に儲かればよい、人が来れば良いという短期的な視野ではなく、長期的に地域と地方が、どう繁栄するかという視点を持たないと「こうなりたい」は生まれない。大規模の花火大会をしたとしても、花火大会は1日である。残

りの 364 日で何らかの富が地域に入り続けないとあまり意味が無い。

(2) 捨てることができるか

「地域を変えたい」と口で言う人は多いが、やり遂げようという強い意志を持った人は少ない。そして、やり遂げる行動力を持った人はさらに少ない。思いを行動に移す勇気と行動力を持った人と、単なるこうなればいいなという思いを持っている人との決定的な相違点は、捨てるという行為ができるか否かである。

ひょっとしたら昔からある「お祭」を辞めて、新しい形にすることかもしれない。昔からの「寄合」を辞めることかもしれない。捨てるという行為なくして、新しいことは始まらない。良くも悪くも、地域には培ってきた歴史があり、係わってきた人々の思いがある。それらすべてをスクラップアンドビルドをしろというつもりは毛頭ないが、新しい形に変化させることや、機能しなくなった部分を捨てる必要があるかもしれない。

昔からなされてきた事を捨てようとすると、状態を変えたくない抵抗勢力と戦うことになる。彼・彼女らの多くは地域の高齢者であり実力者である。その戦いができるかが、すなわち、やり遂げようという強い意志の意味するところである。これには面倒くさい交渉や、「どげんかせんといかん」と騒ぐことや、地域愛を叫ぶだけでは不十分で、捨てるという意思決定をし、その行為ができるまで腹をくくることのできる「思い」がある人が複数に集まってはじめて地域は変化の一歩を踏み出す。

(3)「こうなりたい」と現状把握

そして何よりも重要なものは「こうなりたい」という明確な絵図と現状についての正確な認知である。この2つを並べて、その差を分析して、ど

のように「こうなりたい」を達成するのか、人・もの・金・情報の経営資源をもとにどうやってゴールに向かうのか、という戦略を立てることなしには、新しい取り組みはできない。「こうなりたい」をつくるプロセスは地域に係わる人たちが時間をかけて考えることが重要で、コンサルタントに丸投げして見栄えのいいものをつくってもらうことや、どこかの地域のコピーをすることではない。その地域の責任の一端を担っている人が考え、つくり上げた将来図が必要である。思いと、将来図の2つがないと実現へのドアを開けることは難しい。それは、地域そのものに関する将来図かもしれないし、起業を地域で大成功させることかもしれない。

　「こうなりたい」という将来図はただ個人が内面に秘めているだけでは機能しない。皆が共有し、色々な立場から修正を加え、「こうなりたい」内容を言葉やビジュアルで表現し、皆の共通の思いとなる。一人が思いを他人と共有して初めて「皆の思い」となり、それが地域を動かす原動力となる。

⑷「昔の活気を取り戻す」を目標にしない ——捨てる勇気——

　何を最終の目的にしたいのか。日本中でよくみられるのは一回限りのイベントの実施を地域活性化の最終目標とすることである。そしてその際に必ず使われるフレーズが「昔の活気を取り戻したい」である。

　確かに、活気のある商店街はその地域の核になる。ただ、「昔のように」というのは不可能に近い。「昔」を基準にすると、たとえ、イベントが成功したとしても、正当に評価することができない。なぜならば多くの場合の「昔」基準は高度成長期からバブルの頃である。彼もしくは彼女たちが若く、大きな夢を持って行動していた頃である。その頃の日本は、人口も経済成長率も右肩上がりの時代である。町には人があふれていた。考えて

もみて欲しい。我が国の出生率は低下の一方である。多くの人が思い描く
「昔」の賑わいが戻ってくることは難しい。断言しよう。ほとんどの地方
や地域ではありえない。

　単なる懐古主義ではなく、現状をきちんと見極め、こうなりたいという
将来図をつくり、そしてその達成プロセスを正当に評価することが地域を
活性化させるためには不可欠である。そして、そのためには冷静に現状を
把握することが必要となる。

　４　現状の地域を分類してみよう

　あなたの住む地域は現在、どのような状態におかれているのだろうか。
なんとかしないといけないと思っている人はどのくらいいるだろうか。こ
うなりたいという将来図が提示され、共有されているだろうか。地域への
思いの強弱を縦軸に、こうなりたいが言語化され共有化されているかを横

	低	高
高	ぐるぐる廻り お遍路さん	自立自走
低	日々の仕事で 手一杯 ゆで蛙	打ち上げ花火 で忙しい

地域への「思い」

低　　　　　　　高
「こうなりたい」が言語化され共有

図1-1　地域への思いの共有からみた地域分類

（出所）高田作成。

軸にとって図式化してみた（図1-1）。読者の皆さんの地域は何処に当てはまるだろうか。長期の視点で考えてみよう。

(1) 自立自走型

　地域の現状として理想的なのは、地域への思いが強く、こうなりたいが具体化され共有され何らかの行動がとられている状態、象限で言うところの自立自走型の地域である。実際には自立自走ができている地域は極めて少ない。自立自走ができている典型例は福岡市である。地域への思いを持つ人が多く、また将来どうなりたいのかという方向性が明確で着々と実現している。

(2) 最も多いのはゆで蛙型

　現状の日本において最も多いのがゆで蛙の自治体だろう。その日の生活に一生懸命で、未来についての「一手」を真剣に考える余裕もないし、「まずい」と思っていても真剣に考えていないのでとりあえず先送りする。差し迫った喫緊の課題がないために、問題意識は醸成されず、ゆで蛙の故事のような状態になっている。地域に潤沢な資産と収入があるのならば問題はなかろう。しかし、現在の日本でそのような地域は極めて少ない。日々に忙殺されて仕事をしている気になっている状態は、本人たちは幸せなのかもしれないが、体に爆弾をかかえているようなもので、将来に継承すべき資産を食い潰していることになる。

(3) ぐるぐる回りお遍路さん型

　一方で、ぐるぐる回りお遍路さん地域は地域で現状を変えなくてはという思いはあるが、どのような未来を描いて良いのか言語化ができていない

11

ため着地点がわからない。ぐるぐると回りながらお遍路のように何か最終的な魂の安寧や、新しい気づきを得られればよいのだが、多くの場合、思いだけが先行し、中途半端な周りを惹きつけられないプロジェクト（多くの場合、何かの焼き直しか、どこから振ってきた仕事）をやることでお茶を濁す。しかし、やればやるほど余計「どげんかせんといかん」と思いだけが募っていく。

(4)打ち上げ花火型

打ち上げ花火型は、誰かからから与えられた地域活性化のプロジェクトをこなして行くことで手一杯の地域である。自分で考えた自分ごとではなく、与えられた「人ごと」のプロジェクトなので、地域の参加者が実際にやっている人々のプロジェクトへの共感度はそう高くない。目新しい地域活性化プランや近隣の自治体で行われたプロジェクトなどを何処かで見聞きしたトップが「なぜウチの自治体ではやってないんだ？」と、周囲をけしかけ、資金を投入し、実施される。やろうとしている仕掛けが自分の所に合い、何らかの将来的な幸福を住民にもたらすのかという根本的な視点を持つことよりも、何かを実行することに重点がおかれている。

あなたの地域はどのカテゴリーにいただろうか。最初に注意しておくが、ここでのポジショニングは永続的なものではない。あくまでも現状を示すもので、人々が変われば象限を移動する。ゆで蛙が自立自走になることも、自立自走が打ち上げ花火となることもありえる。

最初から自立自走する地域はない。そして、変わらなくてはという強いモチベーションを持ったとしても、組織の変化には時間がかかる。分類は今の地域の状態を表したもので、未来永劫このままということではない。

一歩を踏み出して進めば何かが変化していく。ゆで蛙の地域が変化して自立自走型になったとしても歩みを止めた瞬間に逆行することも、違う好ましくないカテゴリーに行くことも大いにありえる。大事な点は、今自分たちがどこにいるのか現状を明らかにすることである。そこから進化のプロセスが始まると言っても過言ではない。

 ## 5 「こうなりたい」をつくるために、まず現実を知ること

●現状と経営資源をさまざまな角度から考える

　現状をおさえたところで、次にビジネスの現場でいう経営資源は何かについて考える。経営資源は、人、もの、金、情報の4種類である。地域の場合は、何かを変えたいと思っている人材、特産物や名勝や風景などの観光や地域資源、資金、そしてネットなどの発信情報である。

　人をどうするのか、については第5章と第6章でのべる。第2章から第4章では、観光資源と地域資源について説明する。

　案外自分たちの経営資源が何かということは、当事者は理解していないものである。人間は慣れ親しんだ1つの視点で見ることを好む。しかし、外国人や子どもや障がい者の目から見ると、慣れ親しんだ風景が全く違うものとして映ることも多く存在する。

　たとえば、佐賀県はかつて「何もない県」と揶揄されていた。伊万里や有田の陶磁器、吉野ヶ里遺跡など日本が誇る観光資源があるものの、九州の中で最も田舎といわれ、タレントのはなわは「田んぼだらけの弥生時代」と自らの作詞で歌っている。ところが九州佐賀国際空港の開設で中国人観光客の寄港が多くなったことも寄与し、現在では、外国人客から非常に人気のある場所となった（コロナ災禍の影響は受けているが）。

（出所）岩崎・高田作成。

　山に囲まれ、田んぼだらけの風景が広がっている地元の人からすれば「全く何もない」土地が、そこに住む人々の穏やかさや優しさと相まって、外国人の目からは桃源郷に映る。平地の利点を活かして1980年から細々と開催されていたバルーンフェスタが、バルーン飛行そのものの面白さと、バルーンを浮かべることで浮かび上がる風景の美しさが外国人観光客から人気を集めている。SNS映えする光景であることも人気を加速させた。ディズニーランドやUSJのように観光客の為の新たな施設をつくったわけではない。外国人の地域を見る目と地域が自らを評価する目が全くずれていた結果である。

　佐賀県の場合、地方管理空港として半分出資した佐賀空港を国際線が飛ぶ空港にした時点で、海外からの観光客をターゲットとしていたのは間違いない。しかし、開港当初からの10年は利用率も低く、赤字そのものであり箱物行政の"大"失敗として度々取り上げられた。肝心の観光客も県内を通過してほかの九州地区に流れていくことが多く、巨大な空港建設投資額に見合わないとされていた。しかし、政府のビジット・ジャパン・キャンペーンやLCCの就航なども追い風となり、現在ではソーシャルメディアを利用した積極的な発信やフィルムフェスタの実施など、地道な観光周知施策によってタイや中国を始めとしたインバウンドの集客にコロナ前までは確実に成功していた。これは自らの資源は何かを自分たち以外の視点を理解したことから始まる。

　「こうなりたい」の絵図の中に積極的にイベントを取り入れたことが成功要因といえる。自分たちが考えている地域資源と、ほかの人が魅力と思

うものとのギャップがあることを受入れ、理解し、取り入れた結果である。

　もちろん、インバウンド需要は感染症の影響を多く受ける。外国人にのみ頼った地域経済はひとまず曲がり角にきていることを（もう一回曲がって元に戻る可能性もあるが）私たちは経験している。しかし、多くの外国人が佐賀県を訪れ、また行きたいとその時の思い出を振り返ることは、長期的には外国人の佐賀県ファンを増やすことにつながるのは間違いない。佐賀県の国際社会に向けた長期的なブランディングという点では、プラスに働いているだろう。視点が変わると、自分たちが当たり前だと思っていたことが、実は経営資源になり得るということを、この佐賀の事例は教えてくれる。

6　住民が自分ごととして意識できる 「こうなりたい」をつくる

　ではこうなりたいはどうやってつくるのだろうか。目標という意味では役所主導で地域の「こうなりたい」は多くつくられてきた。その結果、似たような言葉が多くならび、結局、何をどうしたいのかわからなくなっている。

(1) この言葉でやる気になりますか？

　役所が沢山の「こうなりたい」をつくり、発表している背景には国の施策がある。

　2015 年、国はまち・ひと・しごとの創生 5 原則（自立性、将来性、地域性、直接性、結果重視）を示し、これに基づき各自治体に今後の目標を明言し、5 年間計画を KPI（Key Performance Indicators）として数値目標を立て実施

することを求めた。「こうなりたい」を言語化し、目標とし、達成までの道筋を数値目標とともに公開し、それによって補助金や助成金の額を按分しようというのである。これらをまとめて地方創生プログラムと呼ぶ。今まで、漠然と「地域を守る」であるとか「皆がいきいき暮らせる町」などの漠然とした目標をおいてきたが、より具体的で実現可能なものを持つことを課したのである。

　結果として、どうなったか。

　図1-2は政令指定都市20市の総合政策の基本方針の目標部分の文言を筆者がテキストマイニングしたものである。2回以上使われている言葉を抽出したもので、大きさが使われている頻度を示す。大きい程多く使われていて、中央にあるほどその頻度が高い。一見すると創出、あふれる、かなえる、などの言葉が多く使われている。名詞では子育て、地域、出産、安心、産業、若い世代が目標に使われている文言である。重要な点は、驚くほどすべての都市が同じような目標を掲げている点である。20市の目標とする文言がほぼ似通っているために、言葉のマッピングの面積が小さい。直裁に言うと「若者から高齢者まで安心して快適に暮らせるまちづく

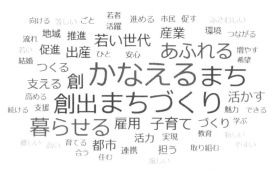

図1-2　キーワードマッピング

（出所）高田作成。

16

り」がどの都市の目標に入っている。

　今ここで示されている「目標」をみて、人はやる気になるだろうか。すべての政令指定都市は、若者が多く暮らし、子育てをし、産業を育成することが可能な地域であろうか。一番基本となるところを精査せずに耳あたりの良い言葉だけが並んでいる。「こうなりたい」の中身として適切なのだろうか。

　本書でいう「こうなりたい」は、具体的なイメージがわかないものの羅列や、比較的安易に実行できることだけを組み合わせたパッケージのことを示すのではない。横並びで誰かがつくったもの、最大公約数を狙った一般化されたものでもない。地域の関係者が自分たちのなりたい姿を考えた、人々が自分の地域の問題を自分ごととしてコミットメントすることができる将来図である。人々が自分ごととして捉え、実行しようとする「こうなりたい」であり、より具体的に将来がイメージできるものである。そして、地域が自走していくためのヒントである。

　それはひょっとしたら、今までの自分たちのあり方を否定するものかもしれないし、今までの路線から違うものかもしれない。今までのやり方や価値観を切り捨てなくてはいけない場面も多く出てくるだろう。もちろん地域住民全員が真剣に自分たちの将来図を考えるということは現実的には難しい。当然、中心となるグループが発生し、そこが周囲を巻き込んでいく形になる。

⑵「こうなりたい」を言語化する

　いきなりこうなりたいという将来図を書けといっても、途方にくれる人が大多数だろう。多くの人間は、組織に属し、目の前の仕事をやるのに時間をとられ、「こうなりたい」というイメージを具体的に考える時間をと

17

ることが少ない。

　地域の「こうなりたい」を考えたときに、前提条件は地域とそこに住む人々の幸福を守ることである。では幸せは具体的にどのように創られるのか。地域の住民の幸せな暮らしとはなんだろうか。その為にどのような地域をつくるのか。人は思いだけでは生活できないので、その思いを実現するためには何が必要で、何から収入を得てオペレーションをするのか。そのためには何が必要なのか。現状と現実、自分の地域の経営資源は何なのかを知ることも求められる。

　たどり着きたい「こうなりたい」と考える形を言語化し、人々と共有することが最も重要で、これなしでは地域活性化は始まらない。さらに、地域は地方と国に開いているものである。相互のやりとりがあって初めて共存共栄が成立する。あまりに地域のみに限定し、小さな平和のみを求めていると、魅力的な「こうなりたい」は生まれない。日本という国、世界の中の1つの地域という大きな視座を持つことも必要かもしれない。

　この言語化の部分は産みの苦しみが凄まじい。美しい生活とか、いきいきした社会といったなんとも曖昧な言葉ではなく、具体的にどうしたいのかを示さなくてはいけない。シンプルな、現実的なものである。特に奇をてらう必要も新規性を求める必要も無い。過去の延長上に未来はあるし、もしも断ち切らなくてはいけない過去があったとしても、人間の営みそのものはそう劇的に変化しない。

　過疎化が進んでいる地域で、「こうなりたい」の姿を「高齢者がいきいきと生活する地域」としたとしよう。これだけでは具体的に何をすればいいのか不明である。いきいきとか、わくわくとかいう耳あたりの良い言葉は、頭に入りやすいが何も産まない。具体性がないからである。これが「高齢者が収入を自分で得ることができる地域」としたらこれはもっと明

確になる。では具体的に何を収入にするのか。工芸品か、農産物か、工業品か、サービスか。ここで深く考えることが必要になる。「こうなりたい」は考え抜いた末にしか出てこない。その上でそれを実現するための仕組みをつくる。何らかの収入をどうやって得るのか。その為に何が必要でどのような仕組みをつくれば良いのか、これは仕組みづくりの話に「こうなりたい」が具現化するのである。

 ## 7　「こうなりたい」を実現するために

(1)「こうなりたい」と行動はセット

地域の「こうなりたい」と行動はセットである。地域と関係の薄い誰かが、直截に言えば、外部のコンサルタントが「こうなりたい」の基本コンセプトを考えて、住民が思い入れなく実行するという形で成功した例はない。自分事として考えてはじめて成り立つものである。こうなりたいは、突然出てくるものでも、突飛なものでもない。

現状を理解することは経営資源を冷静に認めることである。今ある資源は何かを徹底的に考えそこから将来を考える。ない袖は振れないし、資金がない場合は智恵で補う必要がある。それには自分たちのことを真剣に考えなくてはいけない。

昔、施政方針演説で友愛を繰り返した首相がいた。一見、麗しい心地の良い言葉を考えるのは簡単である。彼はその知性の高さから哲学としての友愛を示したのだろう。アリストテレスが説いた、そして元首相が言いたかった友愛とは、相手の善を願い利他的な社会の構築であったと思われる。しかし残念ながらほとんどの国民の心には届かなかった。具体性が乏しかったからである。利他的に動くことは素晴らしい。しかし、常に「どう

やって？」の疑問がつきまとう。思想は素晴らしいけれど、自分たちの生活はどうなるのか。思いだけを語られると、筆者を含めて多くの国民が彼の演説で友愛あふれる社会の現実像を感じることはできず、ましてや将来図を描くことはできなかった。

　耳に心地よい言葉は美しい。しかし、それだけでは人は動かない。どのような地域にするのかを、具体的に言葉にして実際に動いてみる。身を切ることも必要であろう。最初は少人数で始まる動きが、言葉によって示された将来図が、人ごとから自分ごとになって初めて人は動くのである。人ごとから自分ごとに変化させるには、強い共感を得ることが必要でそれには具体性が欠かせない。地域のことを自分ごととして考えられる「こうなりたい」将来図として示すことが地域を変える第一歩である。

⑵ 戦略をたてる

　一般的に「こうなりたい」と現実のギャップを埋めるものが戦略である。地域のこうありたい姿は、決して他所がつくったもののコピーアンドペーストではなくその地域に係わる人によってつくられるべきものである。もちろん、地域のこうなりたい姿の要素は非常に似通っている。住民が幸せに暮らせることが一番である。具体的にどのような幸せなのか。ふんわりとした曖昧な言葉ではなく、地域に拘わる人々が幸せになるために、何をどうするのか。

　先の 20 政令指定都市の地域としての「目標」とされている政策に関係する言葉の中で最も多かったのは「子育て」であり 17 件の出現回数があった（図 1-2 参照）。次に「出産」「安心」（12 件）「産業」「環境」「支援」「結婚」（11 件）「雇用」「創出」「促進」（8 件）「若者」「教育」（6 件）が続く。現在の政令指定都市において最も関心が高いのは人口減への対応であ

り、次に雇用の創出であることが浮かび上がる。

(3)「こうなりたい」の先 ──移住人口増加と言うだけでは何もうまない──

「こうなりたい」の先には目標とする姿がある。企業の場合は非常にシンプルである。利益を出し、ゴーイングコンサーンつまり継続体として成長していくことが前提条件で、その姿は描きやすい。そして業績でその成果が明らかになる。

しかし、自治体の場合は非常に難しい。国の示すいわゆる「地方創生」プログラムにおいては、某かの数値目標を設定しその達成状況を示さなくてはいけなくなった。助成金をもらう以上わかりやすい改善や進歩を示せというのである。国は「こうなりたい」の中身を数値化できるものに限定し求めたといってもいい。

地方自治体の実行する施策で数値化できるものは限られている。一番手っ取り早いのが人口の増加である。自治体が人口を増加するには2つしか方法がない。1つは出生数を増やすこと。次に移住者数を増やすことである。出生数を増やすには、夫婦が子どもを産んで育てる環境の整備が不可欠で、これには時間がかかる。最も取り組みやすいのが移住の増進であり、ここ10年、各自治体は移住促進に躍起になっている。

(4) 同じパイを取り合う

考えてみるとおかしな話である。日本国内の人口は減少し続けている。移住人口増加に自治体が重きをおくということは、限られた人口というパイをとりあう不毛のぶんどり合戦に身を投じることになる。どこかが増えれば、どこかが減るのである。人口増加を狙うことを否定しているわけではない。ただ、安易に人口増加を「こうなりたい」の先にあるの最重要要

素にすることには疑問が残る。

　100歩譲って移住の呼び込みに成功したとしても、安定的な雇用の場を確保することなしには継続しない。簡単に移住することができる人は、これまた簡単に地域を離れることができる。地域の何を訴求して人々を呼び込むのか。ほかの地域との差別化は何なのか。ここまで考えたうえでの「こうなりたい」を示さないかぎり、実行のための戦略を立てることができない。人口増加よりも、地域が潤うことを考える方が重視されるべきでそれには具体的な「こうなりたい」を持つことが不可欠である。

⑸ 明確な「こうなりたい」をつくる

　ぼんやりとした将来予想図からは、明確な戦略を立てられない。人は霞を食べては生きてはいけないので、地域に何らかの経済活動ができる主体があることが不可欠である。それをどのようにして見つけるか、自分たちでつくりあげるのか、実行と実現のための一連のプロセスを自分たちの手で見つけ実行することが地域活性化の本質である。

　そうはいっても産みの苦しみは凄まじいだろう。「こうなりたい」を考えられないがゆえに安易に他所の成功例を自分の地域に移入しようとするであるとか、都会の代理店のアイディアをそのまま実行したいという誘惑にかられるかもしれない。

　大事なのは自分たちの地域という軸をずらさないことである。お手軽なパッケージを採用すると、お手軽な結果しか生まれない。地域に住む多くの人々を巻き込むには、「こうなりたい」が鮮明に人々の未来に重なる形でないといけない。そのためには、地元ならではの情報の多さや質の高さが必ずプラスになる。地域に住む人々には誰よりも自分の地域のことを分かっているというアドバンテージがある。もちろん、よそ者の視点も重要

であるが、情報量としては現地にいる人に勝てる人はいない。情報の多さを自分たちの武器として「こうなりたい」を考えるべきである。そして視点を変えて地域を見直すことが重要である。

第2章　地域資源と観光資源を可視化する

1　自分の町をよく知る。
　　伝わるのは、発信する側の愛と熱

　地域活性化の前提は、まず発信する側が自分たちの地域にどれほど愛着
を持っているか、よく知っているかということである。自分たちが心から
そう思っていないことをいくらアピールしても、その良さは伝わらない。
伝わるのは、その地域の内容もさることながら、発信する側の熱量の大き
さである。したがって、外部から押し付けられた魅力や頭でこねくりまわ
して考えたようなキャッチフレーズでは、内部（地域の住人）からも支持さ
れず、発信しているほうも熱がこもっていないので、受け手に伝わらない。
まさに、私たちは自分たちの地域のこれを伝えたいんだという強い思いが
地域からのラブレターとなって、他地域の人たちに届くのである。地域住
民の誇りが「ソト」に向けての発信力強化につながり、その結果として、
「ソト」からの評価が地域住民の自信や誇りにつながる。継続的な地域満
足はそうやって生まれるものである。

　大都市やすでに歴史的な町並みや文化的な資源、ほかにはない絶景など
がある地域は、そういった過去から受け継いだ地域の財産によってそれを
地域のアイデンティティや誇りとして主張していけばよいが、日本の多く
の市町村はそういうわけにはいかない。自分たちの地域に愛着は持ってい

るが、それを胸を張って主張するまでにはなかなかならないものである。しかし、日本のどの地域も、自然や四季、食など大きく捉えればそれほど差があるわけではない。自分たちの捉え方、発信の仕方、発信する熱量の大きさで少しずつ変わっていく。

● 「今だけ、ここだけ、あなただけ」から「ここはいいよ」へ

地域誘客には、「今だけ、ここだけ、あなただけ」が重要であるといわれるが、まさに、あなたにとって今ここに来なければその物語を共有できない（体験できない）ことを訴える必要がある。マーケティング理論における「限定品の消費者行動」の援用である。

県や市が、昔からの特産品をアピールし、いきなり名物化しようとして、特産品に地域のキャラクターなどをつけて地域製品として売り出す。土産品売り場には、地域とのつながりがよくわからない製品が多くある。その行為自体は否定しないが、その産品がほかと差別化されみんなに語りたくなるストーリーや意味を持っているかが重要である。県や市、町ばかりが一生懸命PRしている産品があっても、地域の人はあまり熱量を持ってPRしない。反対に地域の人たちにとってはあたりまえであるものでも、地域外の人にとっては価値のあるお宝や食材である場合がある。

地域の人たちすべてが地域のPRマン、PRレディであるべきだ。たとえば、私が3年間住んでいた福岡は、つねに自分たちの食べ物や地域を「よかろう！」「うまかろう！」といって、他地域から来た人たちにおもてなしをすると同時にアピールもしている。そういった言葉が、地域への愛着から出たものであり、その自慢が少しも嫌味ではない。事実福岡は元気であり、多くの人が集まっている。しかし、語ろうにも何を語り、自慢していいものかわからない地域もあるだろう。その場合、地域全体で共有で

きる物語を県や市などが用意する必要がある。

　地方都市に住む人々は、目立つことを嫌い、あまり自分たちのことを語らないことが多い。しかし、地域に共有できる物語があればそれを各自が自分の言葉で語ればいいのである。SNSの時代になり、そういった地域の人との語らいが旅人たちにとっては旅のエピソードとしての楽しい体験となり、それが、TwitterやLINE、Facebookで拡散される。まさに地域の人から聞いた生の推奨が、ほかの人たちをその地にいざなうきっかけになるのである。地域の物語については第3章で詳しく説明することにする。

2　地域のアイデンティティは内部の思いと外部の目で

　どの地域にも、独自の歴史や伝統文化があり、自然があり、地域の英雄や地域を語るのに必要な立役者がおり、固有の食材や食べ方がある。そういった地域ならではの個性をきちんと整理し、地域アイデンティティとして発信していく必要がある。しかし、そういった地域ならではの個性とは何か、そしてそれは、ほかの地域に誇れるものなのかといったことは、その地域に長くいる人々には判断しづらい。

　そこでまず、自分たちの地域の資源をすべて洗い出し、客観的に判断し自分たちの地域アイデンティティとは何なのかを抽出していく必要がある。この作業プロセスにおいて、他者の目を通しながらも、自分たち内部のもの（地域の人々）がそれに納得し共感するものは何か、1つ1つ確認するという作業を行う。この一連の作業を通して自分たちのアイデンティティを確認していくのである。

　この一連の作業を他者に任せることが多くあった。地域おこしコンサルタントや広告代理店などの専門家が、マーケティング調査などから地域の

アイコンを設定し、それを中心に大々的なキャンペーンを打つというやり方である。一時的には良いが、賑わいも一過性となり、その後は、まさに宴の後という状況になることも少なくなかった。それはそれで地域の歴史をつくるエポックであり、そういったことの連続が地域を元気づける契機になってきた点は否定できない。しかし、地域が元気で継続することとは、その地域に住む人々が地域に誇りを持ち、その自然や歴史のなかで継続的に営まれる日常のことである。地域の主役は、そこに住む人たちである。したがって、住人の納得するものであり、また次につながる方策でなければならない。

● 地域をブランディングする

和田ほか〔2009〕は、地域ブランドについて「その地域が独自に持つ歴史や文化、自然、産業、生活、人のコミュニティといった地域資源を、体験の『場』を通じて、精神的な価値へと結びつけることで、『買いたい』『訪れたい』『交流したい』『住みたい』を誘発するまちと定義できる」としている。また、「真の意味での地域ブランド化とは、『この地に住みたい』というニーズをベースとしたアイデンティティ形成でなければならない」と指摘している。その地を訪れた人が、いつか住みたいと思える地域アイデンティティの確立が地域づくりの目標であり、それを元に地域ブランディングするのである。

そして、地域ブランディングには、地域への認知から、比較・検討、選択、来訪、再来訪といった地域への愛着を形成するまでの長いカスタマージャーニーがある。そして、その先に地域に住みたいという移住・定住がある。ただし、まず第一歩は、地域の魅力を認知してもらうことであり、そこがなければその先もない。そして、自分たちの地域のことを他地域の

人たちは、驚くほど知らないケースが多い。

3　地域を資源フレームで概観する

　地域について整理してみよう。最初に地域の魅力について考える。図2-1 は、田中［2008］が示した地域資源を集約するフレームである。ここでは、「古くから伝わるもの─新しくつくるもの」と「ハードウェア─ソフトウェア」を軸として、「自然資源」「歴史資源」「モノ資源」「サービス資源」の 4 つの象限によって整理する。

　安村［2006］は、観光資源としてあげられる地方文化の主な要素として、① 工芸、② 言葉、③ 伝統、④ 料理、⑤ 芸術や芸能、⑥ 歴史、⑦ 仕事や技術、⑧ 建造物、⑨ 宗教、⑩ 教育、⑪ 服装、⑫ 祭りやイベントなどを提示する。このように、地域を資源のフレームで整理することは全体が概

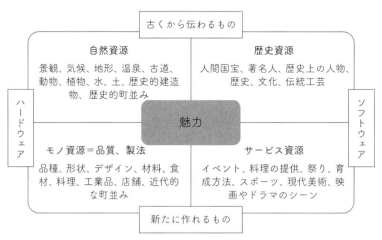

図 2-1　地域資源の分類および集約のフレーム

（出所）田中［2008：142］。

観でき、戦略を立てる上で非常に有効である。

（1）地域の資産と負債を書き出してみる

　一方で地域には資産ばかりではない。当然、負の部分もあるはずだ。地域も組織体である以上、マネジメントするためには資産と負債の考え方も忘れてはいけない。これは今後の「こうなりたい」を作成するために頭に入れておかなければいけない部分である。その中には、地域固有のものもあるだろう。資産と負債リストを最初につくる。細かいことも加えて、資産と負債の2つに分けて細かいことでも書き出すといい。資産と考えられるものと、負債と考えられるもの、どちらが多くなるだろうか。もちろん、両方に入るものもあるだろう。地域のブランドイメージを考える時、直近で起こった災害イメージなどが、第一に想起されてしまう場合もある。そういったイメージにおける負債をどうプラスに転化するかも、こういった仕訳ができていれば対応できる（表2-1）。

　この作業によって、地域を2つの視点で見ることになる。そして、1つの資源を両面から見ることになる。より具体的にそして客観的に地域に視線を向けることで、今後何をするべきかについてのヒントを掴むことがで

表2-1　地域資源と負債の仕訳例

資産となるもの	負債となるもの
有名高校など充実した教育施設	人口減少
クリエイティブ・クラスが多く在住	老齢化の進行
鮎がとれる	箱物事業の借金
人材活用施策の充実	人々のやる気のなさ
郷土に対する強い思い、発信力	郷土に対する思いのなさ
災害から復興した	災害による被害

（出所）岩崎・高田作成。

きるかもしれない。

(2) 地域資源分類（TAI©）でより詳しく地域をみつめる

　さて、負の部分にも視線を向けたところで、再度地域の資源をより具体的に掘り起こす作業に入る。

　私たちは、先人の知見を参考にしたうえで、地域の魅力が以前よりも多様化している現状を踏まえ、資源の分類を 9 つのフレーム「TAI©（Total Asset Index)」として新たに提示した。地域資源は、県民性（地域性）などの人の特徴によっても規定される可能性が高いことから、表の中心に県民性（地域性）という要素を入れた。表の上段から下段に向かって、現在から過去の資源へ。表の左側から右側に向かって、建築、自然物といった有形物からサービス資源（無形資産）になるように設計されている。

　図 2-2 の左上から順に説明する。

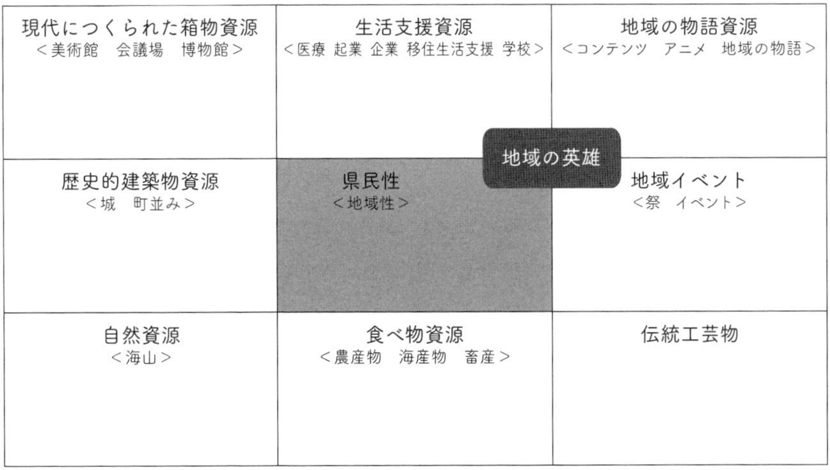

現代につくられた箱物資源 <美術館　会議場　博物館>	生活支援資源 <医療 起業 企業 移住生活支援 学校>	地域の物語資源 <コンテンツ　アニメ　地域の物語>
歴史的建築物資源 <城　町並み>	県民性 <地域性> ［地域の英雄］	地域イベント <祭　イベント>
自然資源 <海山>	食べ物資源 <農産物　海産物　畜産>	伝統工芸物

図 2-2　9 つの象限での地域資源分類（TAI©）

（出所）岩崎・高田作成。

① 「現代につくられた箱物資源」：美術館、コンベンションセンター、博物館などで、地域に比較的新しくつくられた建築資源である。多くの場合、地域づくり 1.0 の時代につくられたものである。特徴的な建物ではなくても、地域のホールやライブハウスなど、大物ミュージシャンや地元出身のアーティストたちの聖地として、全国から継続的に人々が訪れる場所となる。近年、アニメ、映画、ドラマ、小説などのコンテンツツーリズムが盛んである。地域の箱物を利用して、そこを聖地としてプロデュースしていくこともできる。

② 「歴史的建造物資源」：城や古い町並み、寺院などその地域の歴史を語る建造物や物的資源である。まさにその地域のアイデンティティを語れるものであり、誇るべき地域の資源として、発信できるものである。しかし、地域の人たちにとっては当たり前の風景であり、その価値を十分に発信していない場合が多い。あるいは、ほかの地域と同じようにただその謂れなどを紹介しているだけで差別化できていない場合が多い。切り口を変え、ストーリー性を付加することで魅力的に情報発信することが重要である。

③ 「自然資源」：地域の山、川、海、湖、森、植物、動物などの地域的特性である。世界あるいは日本のほかにはない景観や自然資源があれば、それだけで大きな地域資源であり、多くの誘客が望める。しかし、それだけでは地域への継続的な誘客が望めない場合もある。自然資源を持つ強みを活かし、地域を広域でとらえ二度、三度来てもらう仕掛けなども必要である。

④ 「生活支援資源」：病院や学校などである。たとえば、専門の名医がいる場所へのヘルスツーリズムや、名門校やスポーツなど特徴的な教育を子どもに受けさせたいという希望が移住の契機になるなど、その存在が理由となって地域外から人を集める力を持つ資源である。人は生活の場所から離れて自らの生活の充実を求める傾向がある。地域は、そういった生活支援施設を計画的に誘致したり、移住・定住への生活支援体制の充実が望まれる。実際に移住を求める生活者は何を求めてその地に来るのか、生活者のインサイトをしっかり把握しておくことが重要である。

⑤ 「食べ物資源」：農産物、海産物、畜産品などの資源は、地域ブランドに大きく寄与するものである。地域名をつけた牛、豚、鶏や野菜、果物など多く見られるとおりである。ただし、地域によってはブランド化が下手で、有名ブランドと同程度、いやそれ以上の品質を誇っている産品でも廉価で出している地域も珍しくない。産品のストーリーを確立することでブランド化を目指すべき資源である。

⑥ 「地域の物語資源」：岡山県の桃太郎や、鳥取県の因幡の白ウサギのように元々地域が有名な物語を持つ場合はそれがそのまま物語資源となる。現代では、各地でフィルムコミッションを通じて映画やドラマ、CM の撮影地を誘致することは活発に行うようになった。映像になった地域は聖地として人々が訪れる土地になる。近年ではアニメの舞台となった地を訪ねるアニメ聖地巡礼も盛り上がりを見せている。そういったジャパンカルチャーを体現できるコンテンツツーリズムはインバウンドの視点でも大いに活用で

きる資源になる。産・官がアニメ制作会社と連動し、積極的に地域関連アニメを制作し、地域誘客に結び付けている地域もある。

⑦ 「地域イベント」：祭り、イベントなど、歴史のあるものから新たに成立したものまで、幅広く存在する。古くからの歴史がある著名な祭りや花火大会は、毎年多くの観光客を集めるが、どの祭りやイベントにも最初（第1回目）はあり、それをどう継続化して歴史のあるものにしていくかが重要である。富山県八尾の「おわら風の盆」は、宮尾登美子の小説によって有名になったが、地域の神事として閉鎖的に行われていたものをその神聖性を保ちながら開示することも地域ブランドにとって有効である。近年では、アニメから生まれた地域の祭りなどもある。

⑧ 「伝統工芸品」：陶器や刃物、民芸品など地域に古くから根付いた工芸品である。その技術はほかの地にはない卓越したものがあり、そこに地域のアイデンティティが息づいている。そういった伝統の品をうまくブランディングして世に出すことが重要だが、地域によっては、かつてのものにこだわりすぎて現代では受け入れられないようなデザインやサイズになっているものもある。その伝統的な手法や色、素材などの製品の真髄へのこだわりは活かしつつ、今の時代に受けいれられるものにカスタマイズする必要がある。長崎県の波佐見焼などは、歴史に裏打ちされながら現代風のデザインで人気も高い。

⑨ 「県民性（地域性）、地域の英雄」：9分割した真ん中に県民性（あるいは地域性）を置いたのは、それぞれの地域が有する「らしさ」

があるからである。それは長い歴史の中で培われてきたものであり、それこそが現在の地域のアイデンティティの根幹にあって今を映し出しているものである。地域の英雄たる人的資源もその県民性を具現化するものである。地域が地域らしくそのアイデンティティを形成していくことが正攻法である。しかし、それを裏切るカタチでの地域ブランド形成を行うことで、地域ブランドイメージの拡張や刷新ができる可能性もある。まずは、地域をとらえる軸として県民性・地域性の把握は重要である。

　地域の戦略を立案するもしくはマネジメントをする立場の人は、ぜひこのフォーマットを活用して、地域資源の整理をして欲しい。そして、何が地域資源になるのか、TAI モデルに多くの人が書き込むことで可視化することができる。

4　地域と外部、こんなに認知が異なる
── TAI モデルを使って地域を俯瞰する──

　TAI モデルを使い地域資源を可視化する調査を行った。① 地域住人、② 地域をよく知っている外部の人、③ 地域外で生まれ育った人の 3 種類の異なった属性の人に、特定地域の地域資源の認知度合いを記入してもらった（図 2-3 〜 2-5）。③ の図 2-5 は、法政大学大学院イノベーション・マネジメント研究科の学生 50 人ほどに記入をしてもらった中の一人のものを取り上げた。基本的には他地域に住む第 3 者は常にその地域のことを考えているわけではなく、突然聞かれてもほとんどその地域のイメージが湧いてこないのが現実である。当該地域への近い、遠いによって、またその地

域との関わりによって、当該地域への知識レベルが大きく異なる。地域に感じる魅力度が異なるのは当たり前で、その差異を自覚することから地域づくりが始まるといっても過言ではない。

●実際にやってみた

鳥取市をとりあげて実際に TAI シートに記入して貰ったものを提示する。下の 3 つのケースは、それぞれの立場の違いが、地域の認知度の差となって表れていることを示す図である。政治・経済・歴史などで突出した地域

（出所）岩崎・高田作成。

現代につくられた箱物資源 <美術館 会議場 博物館>	生活支援資源 <医療 起業 企業 移住生活支援 学校>	地域の物語資源 <コンテンツ アニメ 地域の物語>
砂の美術館 県立博物館 様々なカフェ 因幡万葉歴史館 渡辺美術館 さじアストロパーク わらべ館	鳥取大学 鳥取環境大学 県立図書館相談係 移住交流情報ガーデン	名探偵コナン（※厳密には作者の 青山さんは北栄町出身です） 因幡の白うさぎ 父の暦（谷口ジロー） <地域の英雄> 岡野貞一（作曲家） 鬼塚喜八郎（アシックス）
歴史的建築物資源 <城 町並み>	県民性 <地域性>	地域イベント <祭 イベント>
鳥取城址 池田藩 鹿野町町並み 仁風閣 青谷上寺地遺跡 白兎神社	堅実、おとなしい、 しっかりもの	しゃんしゃん祭 麒麟獅子 貝殻節まつり 鳥取三十三万石お城まつり
自然資源 <海 山>	食べ物資源 <農産物 海産物 畜産>	伝統工芸物
鳥取砂丘 白兎海岸 ジオパーク 湖山池 日本一澄んだ海 雨滝 街中温泉 らっきょうの花畑	松葉蟹、塩さば、岩牡蠣、もさ海老、 白いか、梨（20世紀、新甘泉） らっきょう、鳥取和牛（オレイン55）、 とうふちくわ、あゆ、白ハタ、トビウオ	民芸 牛戸焼 白磁 因州 和紙 しゃんしゃん傘 すげ傘

図 2-3 TAI（鳥取 1）鳥取市在住

現代につくられた箱物資源 <美術館　会議場　博物館>	生活支援資源 <医療 起業 企業 移住生活支援 学校>	地域の物語資源 <コンテンツ　アニメ　地域の物語>
砂の美術館 様々なカフェ 渡辺美術館	鳥取大学	名探偵コナン
歴史的建築物資源 <城　町並み>	<地域の英雄> 県民性　吉田璋也 <地域性> 堅実、おとなしい、 しっかりもの	地域イベント <祭　イベント>
鳥取城址 池田藩 仁風閣 白兎神社		しゃんしゃん祭 麒麟獅子
自然資源 <海山>	食べ物資源 <農産物　海産物　畜産>	伝統工芸物
鳥取砂丘 ジオパーク 日本一澄んだ海 街中温泉	松葉蟹、塩さば、岩牡蠣、 もさ海老、白いか、 梨（20世紀、新甘泉） らっきょう	民芸

図 2-4　TAI（鳥取 2）鳥取市で仕事をしたことがある（東京在住）

現代につくられた箱物資源 <美術館　会議場　博物館>	生活支援資源 <医療 起業 企業 移住生活支援 学校>	地域の物語資源 <コンテンツ　アニメ　地域の物語>
歴史的建築物資源 <城　町並み>	<地域の英雄> 県民性　わからない <地域性> 地味　内向的	地域イベント <祭　イベント>
自然資源 <海山>	食べ物資源 <農産物　海産物　畜産>	伝統工芸物
砂丘	らっきょう	

図 2-5　TAI（鳥取 3）愛知県出身（東京在住）

を除き、どの地域においても住んでいたり働いていたりなどの関係性が強い場合を除き、一般的には自分が日常的に接していない地域への認識は極めて低い。精緻な調査は今後の課題だが、地域の認知の傾向性を示す目安として、大変興味深い結果となった。

　現在流通する情報の９割以上は消費されぬまま放置されたり、そのまま消えていると言われる。そして、たとえ発信した情報が届いたとしてもそれをきちんと認知し、共感してくれるかどうかはさらに低い確率となる。加えてその情報を受け取ってもらいたい相手に届いているかどうかは、より確率が低くなる。地域の発信した情報は、自分たちが思っている以上に、他地域の人に届いていない。そういった状況の中で、どこの誰に何をどのように伝えるかが、ますます重要になっている。情報を受け取る側のターゲットを明確にしたきめ細かな情報発信が必要である。

　県や市が、地域プロモーションやイベントで多くの特産品や地域資源をアピールするが、地域の魅力や資源に関する多くの知識は地域外の人には定着しておらず、代表的な地域資源１〜２件のみに集約されてしまう。地域の資源やコンセプトの打ち出し方がいかに重要であるかがわかる。現在認知されているものから一点突破し、その後広く展開するなどの工夫が必要だろう。１つでも魅力的に想起できる部分から人々の考慮集合に入り、地域への来訪へとつなげる。そのためには、徹底的に地域資源の絞込みを行い、○○の△△市といったように徹底した差別化を行う必要があるだろう。

　当該地域に住む人が、自分たちの地域について知っているのは当たり前である。地域住人によって地域に対する知識の差もある。地域が離れれば離れるほどその地域の情報は希薄で、旅に行ったり仕事で関わったりすることがあれば基本的な地域に対する知識は得られるが、それでも限定的なものである。

～実践編～
──９つのフレームを使っての実践──

　地域資源を検証するための９つのフレームにおいて、自分たちの地域の資源を検証してみよう。各フレームで挙げた資源は、それぞれその地域（県や市）が誇れる資源である。前章でも記述したとおり、そのどれに光をあてて訴求するかが重要である。そして、地域の所与のものとしての自然資源や歴史といったものは、それを現在の社会の中で輝くステージをつくってやる、あるいはその真正性を訴求することで人々に注目してもらう施策が必要である。

　そして、もう一方でこれから仕掛けていくような地域の物語資源やイベントといったものがある。それに関しては、自らがコンテンツ制作者と一緒に地域を舞台としたコンテンツを制作し、それを地域の物語として育てていくやり方と、すでにあり認知されているコンテンツのライツホルダーにアプローチし、その権利を獲得した上で地

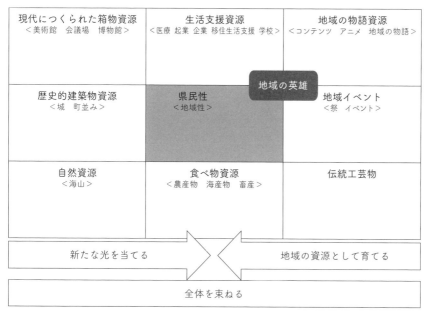

図 2-6　TAI

（出所）岩崎・高田作成。

域との関係性をつくっていくやり方がある。地域の景観や歴史をベースにしながら新たなアートを展開している地域もある。いずれにしても、地域の持つさまざまな資源を掘り起こし吟味した上で、地域の風土とマッチした魅力の創出が必要である。

それでは、さっそく地域の資源を図2-6のフレーム活用法にそって記述してみよう。

フレーム活用法　各マスを埋める

① 「地域資源の洗い出し」：地域のすべての資源を洗い出す。

② 「地域資源の分類・整理」：9つのフレームに割り振る

③ 「地域資源の考察」：資源のアイデンティティのあるものを見つけ出す。

　・そのままで魅力的なものはあるか

　・切り口を変えれば魅力的になるものはあるか

　・組み合わせれば魅力的になるものはあるか

④ 「地域資源の創造」：資源の新たな光のあて方を決める。地域にそれがなければ新たにつくる。（地域の文化・歴史に根ざして新たな資源創造に着手する）

⑤ 「地域資源の確認」：それが、地域を代表するものに値するか。他者にとっても魅力的なものか、自分たちがそれを誇りに思えるか（自分たちにとっても納得できるものか）

　9枠のセンターの「地域性・県民性」に照らし合わせてみる。

⑥ 「地域資源の決定」：地域を代表する資源を決定する。

　・中長期的視点　育てる視点　地域の理想像にむかって時系列での施策を練る。

　・短期的視点　認知を中心としたプロモーション計画とファンづくり施策を練る。

⑦ 「地域資源の検証」：実行しながら、決定実行事項を検証する。足りない部分やずれている部分があれば調整する。

やってみた

本書を執筆するにあたり、岐阜県、鹿児島県、鳥取県、徳島県、富山県、山形県、和歌山県の7県について、県単位での地域資源へのインターネットによるアンケート調査を行った。全体で77件の調査結果が得られた。その中で、ここでは、岐阜県についてのアンケートの回答10件について抽出し9つのフレームにまとめてみた。取材した人たちが認知している岐阜県の資源イメージが集約されている。すべての資源

が提示できているわけではないが、代表的なものは
フレーム内に置いた。

（出所）岩崎・高田作成。

　まず①と②で、この中から地域のアイデンティ
ティとなるものを抽出していく（図2-7）。今回は
県という大きな単位だが、③で記述したように県
を象徴するものを選び、打ち出し方を検証する。岐
阜県の公式ホームページを見ると（https://www.
pref.gifu.lg.jp/, 2020年8月14日閲覧）、「観光」
「世界遺産」「特産品」「移住・定住」と大変きれい
にまとめられており、魅力が伝わってくる。そして、
「清流の国」という地域スローガンで長良川の清流
を想起させる水のきれいな地域イメージを打ち出し
ている。納得感もあり、共感が持てる。しかし、地域と水のストーリー、清流ととも
に歩んできた地域の歴史などが、もっとホームページ上にも欲しいところだ。地域の
人にとってはあたりまえでも、他地域の人間は、その地域のことを案外知らないこと
も多い。たとえば、多くの自然資源や歴史資源のある岐阜県は、季節ごとにさまざま
なキャンペーンを行っていく施策であるが、清流の国につながる季節ごとのテーマを
生活者に提供していくことで、他県の人が、今そこに行く意味を訴求できるだろう。

　それぞれの資源を個別に見るのではなく、つながりあるいは現代社会の文脈の中
で捉えることで、訪れる人の「ここに来る意味」が生まれる。清流の国に来る意味は
何か。それは時に癒しであり、時に川のめぐみや自然のめぐみなどの食であるが、そ
れがここに来る個人にとって、これまで経験したことのない特別な時間になることを
感じられる訴求ポイントを用意することが必要である。ターゲットをどう捉えるかに
よって、切り口は当然異なる。国内顧客とインバウンドでは当然異なるし、地域、年
齢、趣味などクラスターによっても当然求めるものは違う。どのターゲットに何を発
信すれば一番届くかを考えた上で、地域資源や事象をどう捉え打ち出すかを徹底的に
考える必要がある。

　③、④で資源の光のあて方や切り口、あるいはつながりなどを検証したら、⑤に提
示したように、それは地域に住む人たちにとっても納得がいき、ほかに誇れるもので
あるかの検証をする必要がある。地域に視察に行くとしばしば、もっと地域にとって
重要なもの（歴史や地域民にとっての魂と呼べるもの）があるのに、観光文脈でわか
りやすい物産品などになっているものや、逆に地域にとっては重要かもしれないが、

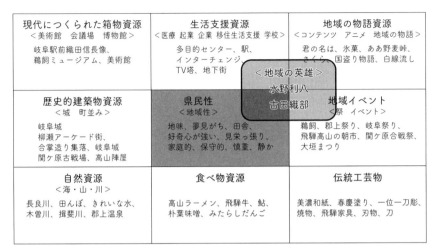

現代につくられた箱物資源 <美術館 会議場 博物館> 岐阜駅前織田信長像、 鵜飼ミュージアム、美術館	生活支援資源 <医療 起業 企業 移住生活支援 学校> 多目的センター、駅、 インターチェンジ、 TV塔、地下街	地域の物語資源 <コンテンツ アニメ 地域の物語> 君の名は、氷菓、ああ野麦峠、 さくら、国盗り物語、白線流し
歴史的建築物資源 <城 町並み> 岐阜城 柳瀬アーケード街、 合掌造り集落、岐阜城 関ヶ原古戦場、高山陣屋	県民性 <地域性> 地味、夢見がち、田舎、 好奇心が強い、見栄っ張り、 家庭的、保守的、慎重、静か	地域イベント <祭 イベント> 鵜飼、郡上祭り、岐阜祭り、 飛騨高山の朝市、関ヶ原合戦祭、 大垣まつり
自然資源 <海・山・川> 長良川、田んぼ、きれいな水、 木曽川、揖斐川、郡上温泉	食べ物資源 高山ラーメン、飛騨牛、鮎、 朴葉味噌、みたらしだんご	伝統工芸物 美濃和紙、春慶塗り、一位一刀彫、 焼物、飛騨家具、刃物、刀

（図中央に）<地域の英雄>
水野利八
古田織部

図 2-7　TAI（岐阜）

他地域に住む者にとってはわかりづらく共有できないものがある。自らが誇りを持て、かつ他者からも共感が得られるものを選択し、ブラッシュアップして発信していく必要がある。内なる誇りが外に発信され、外の承認がさらに地域に自信を持たせる構図をつくることが理想である。その点、岐阜県に見るような清流から始まる物語は大変にいいと思う。その際、清流の国においてそこを訪れる人はどのような物語を共有でき、いい旅の思い出として持ち帰ることができるのかを想像できる提示が必要である。

　次の ⑥ の段階では、その資源を短期的に PR する視点と中長期的に育て（あるいは生み出す）視点である。現在地域の魅力として売り出す資源がある地域は、光の当て方や斬新な切り口での展開が想定できるが、現在それがない地域は、新たな資源を生み出さなければならない。語るべき歴史がすでにある地域とその第一歩をつくり出す地域がある。現在ある地域でも新たな歴史をつくりながら次世代にさらに魅力的な地域として残さなければならない。地域づくりはサスティナブルであることが前提である。図 2-7 の岐阜県の場合でも、歴史的な祭りや町並みなど多くの資源を持つが、アニメやドラマの巡礼地としても魅力のある地域である。年齢の高い層がメインターゲットである地域資源と若い人がそこに行く意味を見出すコンテンツを起点とするツーリズムでは、その誘客施策も異なる。両者に対し戦略的に異なる発信をすることで地域のクラスターごとの魅力は高まるだろう。

　⑦ の地域資源の検証も重要である。商品の場合、現在多くの情報は短期間で消費さ

れ永遠のβ版ともいわれるように常に試行錯誤の連続の中で、売り物をブラッシュアップしていくのがふつうである。地域においては、それほど頻繁に売り物を変えるのは困難であるが、切り口の検証や発信内容の変化などの最適化が必要である。ブランドは短期間では完成しないので積み重ねは重要だが、常に地域ブランドを検証し最適化していく姿勢は重要である。

～ワーク～
――２つの表を使って３つの作業をしてみよう――

最初に資産と負債のリストをつくってみよう。皆さんの地域の資産と負債を細かく書き出す。地域の資産と皆さんが思うものを書きたしていくとよい。小さいものでもかまわない。有名である必要もない。ひょっとしたらそこに住む人の気質かもしれないし、美味しい食事をつくる食堂のおばさんかもしれない。これらは立派な資産である。同様に負債と思われるものも書き出そう。細かくマス目を埋めるプロセスで地域を客観視することになる。

次に皆さんの地域の TAI モデルをつくる。表の中に自分の地域の資源を入れてみよう。最後に、TAI モデルに書き入れたものについて、資産負債リストではどの分類になるのか番号を書き入れてみよう。

２つの表を並べてみると、自分たちの地域の持つ強みや弱みが浮かんでくる。そして、自分たちの「こうなりたい」が何なのか。「こうなりたい」を実現するために地域の強みや弱みはどのように使えるのか。どのように作用するのか。ディスカッションしてみよう。

地域の資産と負債

TAI 番号	地域の資産と考えるもの	TAI 番号	地域の負債と考えるもの

現代につくられた箱物資源 <美術館　会議場　博物館>	生活支援資源 <医療 起業 企業 移住生活支援 学校>	地域の物語資源 <コンテンツ　アニメ　地域の物語>
歴史的建築物資源 <城　町並み>	県民性 <地域性>	地域イベント <祭　イベント>
自然資源 <海山>	食べ物資源 <農産物　海産物　畜産>	伝統工芸物

地域の英雄

TAI モデル

第3章　地域ブランドをつくる

この章では第2章で行った地域資源の整理と可視化を元に地域のブランディングについて考える。

1　ブランドコンセプトを定める

　地域ブランディングは、そう思ってもらいたい姿を、ターゲット顧客との間で共有できる関係になることである。その地域のよい記憶（自然、食、楽しかった思い出）の集積が、地域ブランドになる。そのためにはまず、地域のブランドコンセプトを打ち出すことが不可欠である。唯一無二のものを探し、あるいは形成し、それをもとにコミュニケーション戦略を実践するのである。いくらお金をかけたキャンペーンを行っても人々の心に残らないのは、切り口のユニークさと一貫したストーリーがないからである。

　あらかじめ先祖から受け継いできた華々しい過去の歴史や歴史遺産、唯一無二の絶景などがあれば、たとえば京都のようにブランド価値の高い地域としてすでに評価されているはずである。しかし、そういった地域は少ない。むしろ素晴らしい資源があっても認知されない地域のほうが多い。そういった地域は、自らの資源を他地域とは差別化し、私たちのものとして提示しなければならない。その際に第2章で提示した9つのフレーム「TAI」を活用し、地域資源の整理に役立ててほしい。その中からこの地域ならではのアイデンティティを掘り起こし、あるいは新たな要素を付加す

ることや光の当て方で、ほかの地域にはない「ここだけの魅力」にして提示することができる。それが地域のブランドコンセプトをつくるための重要な柱になる。

博報堂・地ブランド研究会は、コンセプト作成のポイントとして、「明確な価値イメージがあること」「その価値に共感する消費者が存在すること」「その価値が競合に比して優位性を持っていること」の3点を挙げ、ブランドの核になる価値、資源は、地域へのうまい光のあて方でどの地域にも存在していること、そしてブランドづくりは、地域への絶えざる過大評価からなることを示している。

地域ブランドを形成する要素については、表3-1で示すようなものがある。これがすべてではないが、地域に接する人にとっては表で示すようなあらゆる場面が地域とのコンタクトポイントになる。サービスマーケティングでいう顧客と企業との接点「真実の瞬間」は、地域と顧客との間にも多数あることが分かる[1]。

TAIで示した地域固有の魅力を集約したものが、地域が発信するタグライン（キャッチフレーズ）のためのコンセプトとなるが、その時にそれをほかの地域とは異なるエッジの利いた言葉に集約する必要がある。コンセプトをそのまま言語化してしまうと平凡な刺さらない言葉になってしまう（ここは、コピーライターなどプロの仕事になる場合が多いが）。「何を言うか」が決まったら、「どう言うか」を考えることが重要である。近年、ユニークなキャッチフレーズも増えているが、まだまだ「自然が豊富」「世界に羽ばたく」のような差別化のできていない耳あたりのよい言葉の羅列、あるいは当事者しかぴんと来ないタグラインの市町村が多い。官がつくったり、募集したりすると大抵こういったものになる。

これらを踏まえて次に、顧客の選定と接点づくりを行う。地域が顧客

表 3-1　地域ブランド構成要素

カテゴリー	構成要素
標　　章	地域マーク、地域スローガン、キャラクター、色彩、音（音楽）など
人	知事、市長、文化人、出身タレント、伝統技能者・技術者、市民、歴史的偉人、ノーベル賞・文化勲章など受賞者
歴　　史	神話、地域の成り立ち、町並み、城、寺社、地域のエポックメイキングなできごと、民芸、祭り、合戦地など
モノ・サービス	地域の特産品、料理、おみやげ、地域の人とのふれあい、ホテルなどのおもてなし、商店街などのおもてなしなど
アクセス	利便性、難解性、意外性、快適性、ワクワク感の演出、明確な案内、地域性を取り入れた標識やサイネージなど
地域施策	移住定住支援施策、若者就労応援、企業誘致施策、福利厚生、医療施策、男女共同参画、地域コミュニティ応援、地域住民参加イベントなど
自　　然	山、海、川、湖、森、草原、丘、樹木、ほかにない景観、物語のある自然資源、ある時期だけ出現する自然など
企　　業	創業地、先進的な企業、伝統的な企業、企業城下町など
広　　報	知事・市長の発言、メディアへの戦略的露出、新たな発信手法、地域キャンペーン、フィルムコミッション、コンテンツ活用・創出など
スポーツ	スポーツチーム、スポーツ応援者など
ハコモノ	県庁、市役所、国際会議場、美術館、博物館、音楽ホール、水族館、まんが図書館など

（出所）岩崎作成。

ターゲットを決めることには無理があり、広く多くの人に訴求したいところだが、状況によってはコアターゲットを定め、地域誘客に結び付けることも重要である。地域の交流人口を洗い出し、ターゲット顧客を選定した上で、戦略的に顧客とのコンタクトポイント（接点）を設計することが必要になる。自分たちの地域がどのようなブランドイメージを訴求したいかを考え、その展開のシナリオを作成するのである。その後、実施した施策に対する評価確認や地域ブランド評価（モニタリング、外部評価）などによって、コンセプト確認、調整、確定をしていく流れとなる（図 3-1）。

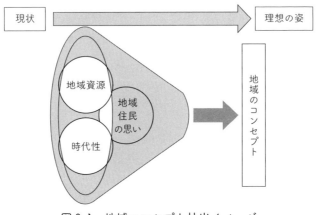

図 3-1　地域コンセプト抽出イメージ

（出所）岩崎作成。

 2　見るべきものの意味をワンワードで示す

　国土交通省観光庁が 2009 年に作成した「観光入込客統計に関する共通基準」では、「観光とは、余暇、ビジネス、そのほかの目的のため、日常生活圏を離れ、継続して 1 年を超えない期間の旅行をし、また滞在する人々の諸活動」と定義する。このように、観光において期待されるのは、非日常的な空間や体験の提示である。

　現代の観光は、D. J. ブーアスティン〔1962〕も指摘するように、メディアによって生成された「疑似イベント」を体験する要素も強く、あらかじめメディアによって紹介され、価値づけされたものを確認する行為ということもできる。しかし、そういったメディアやある権威（ユネスコの世界遺産登録など）によってお墨付きを得た観光資源は、多くの人によって共有される「価値あるもの」（「見る価値、食べる価値、体験する価値」）といったラ

ベリングされたものになる。同時にそれを体験したこと自体が、人に発信するネタになる。SNS 時代においては、ほかの人と共有でき、伝える価値のあるものが旅の意味の神髄にもなってきている。

　J. アーリは、人々はメディアによって「見るべき」と強調されたところを見ていると主張した。本来であれば、その土地で見るべきものは自由であり、何をその地に見出すかは個人の経験や感性によるものである。しかし、実際には、アーリの言うとおり「ツーリズムは、そうした記号の収集をともなう」〔Urry 1995：邦訳 217〕ものである。特に現代のようなネットでつながる社会においては、人は共有できる記号のもとに集まり、またそれを自らの感想を交えて、あるいはそのまま SNS などで友人や仲間に発信する。

　いかにコミュニケーションするかといったことが重視される社会では、その土地の景観や食、お祭りなどの文化がメディアや権威によって規定されれば、いっそう拡散していくものになる。地域ブランド化する際に、そういった地域の資源を記号化する試みは非常に重要なものになっている。具体的な例でいえば、ユネスコによる世界遺産への登録や、「うどん県」（香川県）、「温泉県」（大分県）といった地域をラベリングする打ち出しかたをすることで、地域の特徴が明確になり、より浮かび上がらせることができる。あれもこれもではなく、コンセプトは明快に、訴求ポイントを絞って表現することが重要である。そのことによって、地域の特徴を認知しやすく、またほかの人への訴求も一言でできるためコミュニケーションスピードも速く、かつ広く訴求することができる。その最大の地域アイデンティティを伝えた上で、そのほかの魅力も後で徐々に伝えていけばよい。ただし、中心に打ち出した印象が強すぎることで、ほかの魅力が見えなくなることもあるので、コミュニケーションプラン策定の際、時系列的な戦

略を持って臨む必要がある。

　メディアが言葉を規定し、社会記号化する。そうするとその言葉やでき
ごとがクローズアップされ、みんなの共通認識となる。

 ## 3　第一再生知名になる

　ブランドの基本的な機能としては、① 保証機能、② 識別機能、③ 想起
機能の３つがある。ほかにもあるがわかりやすく言うと、ブランドが確立
していれば、いいもの（良質、安心、安全）だと思ってもらえ、ほかの商品
とは差別化された特別なものと思ってもらえる。想起機能には「ブランド
認知」と「ブランド連想」の２つあるが、特に「認知」してもらえている
かどうかは、ブランド形成の初期の段階では絶対必要な指標である。当た
り前だが、人は知らないものは好きにならない。

　「認知」にも２つあり１つは、「再認」というもので、ものを見たときに
知っているかどうかの段階、もう１つは「○○といえば」という質問に対
して名前が出ることであり、これを「再生」という。たとえば、炭酸飲料
といえばといって名前が出れば、ブランドの再生ができる段階にあること
がわかる。その中で、真っ先に名前がでるのが第一再生知名で、その人に
とって最も身近な存在であることがわかる。

　地域についても同様で、たとえばこの秋行きたい観光地を考えた際に、
真っ先に名前が出たところが第一再生知名であり、今度行く観光地の最有
力候補になる。そこから、さまざまな旅行条件の検討に入るわけだが、認
知され検討される地域（考慮集合という）に入ることが、何よりも重要であ
る。そのためには、自分たちの地域の特徴（コンセプト）を明確にし、それ
を発信し続けてターゲットとする地域の人たちに認知され、さらにその記

憶が再生されなければならない。そのためには、際立つものが必要である。「○○があるから、そこへ行こう」という段階にならなければ、その地域にわざわざお金と時間を使って行くことはない。たとえば、「そうだ、京都行こう」と思い立った時、頭にはそれぞれが記憶に浮かべる寺社や古都の町並みなど四季折々の光景がある。「今度、○○行こう」、「一度、○○行こう」と、考慮してもらえる地域となるための、その地域ならではのコンセプト（コト）の形成とその継続的な認知活動が重要である。

 4　地域の価値の捉え方

　自分の地域の固有な価値を地域外の人々（今後地域に来てくれる可能性のある顧客）に伝える際に、策定したコンセプト（地域のアイデンティティ）をそのまま提示すればいいわけではない。各県、各市などの多くの地域がイベントやCMなどのマーケティング・コミュニケーションを通じてさまざまな情報を発信する中で、自分たちの地域の情報を伝えるのは容易なことではない。たとえ認知はされても魅力的な地域として理解され、マインドシェアNo.1（行ってみたい1番目のリスト）に入るのは至難の技である。ブランディングの作業は、「そう思ってもらいたい姿」を、ターゲット顧客との間で共有できる関係になることである。その道のりは長いが、どんな施策にも最初があり、その一歩を踏み出し、継続的に発信していくさまざまな施策が、地域ブランディング活動である。そのためには、ただ地域の魅力的な自然や食材などの資源を提示するのではなく、地域のブランドストーリーとして提示することが重要である。そうすることによって、人々の記憶に残り、共感を呼ぶ可能性が大きくなる。ブランドストーリーは、自分の地域のブランド価値を紹介するための重要なコンテンツである。

和田〔2002〕は、ブランド価値を「基本価値」（製品の品質そのものの価値）、「便宜価値」（製品の購買・消費に関わる便宜的な内容）、「感覚価値」（製品およびパッケージ、広告物・販促物に感じる楽しさ、美しさ、可愛らしさ、心地よさなど）、「観念価値」（ブランド名およびブランド・コミュニケーションが発信するノスタルジー、ファンタジー、ドラマツルギー、ヒストリーなど）の4つの階層に分類した（表3-2）。

　今の時代は、製品部分に関わる価値から、それを持つ意味、自分の生活の中で感じる心地よさや感動といったもの、すなわち「感覚価値」や「観念価値」が人の心を動かし行動を促すために重要になっている。地域においても同様に、そこに行く意味、今そこでしか味わえない感動などを感覚価値や観念価値の段階で確認し、伝えることが重要である。

　図3-2は、筆者が和田〔2002〕をベースとして、地域の価値に置き換えたものである。「基本価値」は、地域に現在ある資源やサービス。「便宜価値」は、東京や大阪などの首都圏からの便利さや宿泊施設の充実、周辺観

表3-2　ブランド価値の内容と構成

	ブランド価値内容	ブランド価値構成
基本価値	製品の品質そのもの	・品質信頼度 ・品質優良性評価度
便宜価値	製品の購買・消費に関わる内容	・製品入手容易度 ・製品使用容易度
感覚価値	製品およびパッケージ、広告物・販促物に感じる楽しさ、美しさ、可愛らしさ、心地よさ、目ざわり耳ざわりのよさ、新鮮さなど	・魅力度 ・好感度
観念価値	ブランド名およびブランド・コミュニケーションが発信するノスタルジー、ファンタジー、ドラマツルギー、ヒストリー	・ブランド・コミュニケーションに対する共感度 ・自らのライフスタイルとの共感度

（出所）和田〔2002：66〕。

図3-2　地域のブランド価値連鎖

（出所）和田［2002：66］と博報堂地ブランドプロジェクト［2006：97］をもとに岩崎作成。

光の多様さなど。「感覚価値」は、その土地にいくとどんな気分になるのか、風の心地良さや空気の匂い、生き返る感じなど。「観念価値」は、ノスタルジーや先進性など、その地に感じる自分の感性や生き方とのフィット感やそこでしか感じられない特別感。このフレームに、自分たちの地域のそれぞれの価値を書き込んでみると、より具体的に地域の魅力が捉えられるだろう。

 ## 5　地域のブランドストーリーの作成

　次にブランドストーリーを作成する方法について示すことにする。一般的に商品やサービスなどにおいては、「ペルソナ」（具体的なターゲット像）を想定するが、地域ごとの特性によってその範囲を大きくとるか、小さくとるかは異なるところである。また、インバウンドとアウトバウンドによってもそのストーリーは異なるだろう。どこの誰に、最も来てほしいのかを決定してペルソナを想定し、導出したコンセプトにそって地域をおとずれる顧客にとって自分たちの地域はどのような、「顧客満足を提供できるのか」を起承転結のあるストーリーにしていくのである。

　細谷［2014］は『Brand STORY Design』の中で、「ストーリーの構造」として、「ストーリーの礎 ＝ 普遍的な価値」をベースとして、その上に

「ストーリーの柱 ＝ 課題点と新しい価値」をブランドストーリーとして組み立てていく流れを提示している。細谷の案をベースとして、筆者は地域ブランディングのストーリーの流れを付加し、提示した（図 3-3）。

　「地域のストーリーの礎」となる普遍的な価値を支えるものとして、地域を形づくってきた「原風景」、歴史や地域の由来など、そして、前章で掲げたような地域のさまざまな「資源」、そこには地域独自のものや地域が生み出し、または受け継がれてきた真正性を示すものなどが入る。そして、地域ブランド形成は継続的な作業であることから「中長期目線」であることをそのベースの 1 つとした。これらの 3 要素をベースとした「ストーリーの礎」の上に、地域の物語を編み上げていく。厳然とある過去か

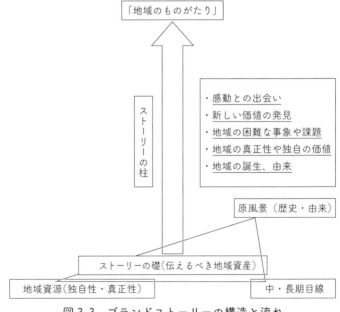

図 3-3　ブランドストーリーの構造と流れ

（出所）細谷［2015：28］を岩崎加筆修正。

らの地域資源、これまでの地域のできごとや困難、試練、乗り越えた歴史や新しい価値の発見など、伝えたい地域の未来のカタチをストーリーにするのである。それを、地域のブランデッド・ストーリーとして映像化する地域もある。

　これまで語られてきた物語に関する研究で示されているように、物語を構築する際の基本的な文脈がある。

　「主人公」（この地に生まれる・流されてくる）⇒「困難・障害に会う」（葛藤、苦しみ）⇒「相棒」（支えてくれるもの・転機をつくるもの）⇒「できごと」（成功・未来への展望）、こういった流れは、映画やドラマなどのプロットづくりに援用されるが、ひとつの参考としてみてもいいだろう。地域ブランド品をつくる際にも、色つやや大きさなどの基準、厳しい自然環境などの取引基準などをクリアーしたものだけが、ブランド野菜やブランド肉、ブランド魚になるが、まさに困難や高いハードルを乗り越えたのちに勝ち得た栄光であり、この物語の流れに符合する。地域においても、今あるものを無二のものとするには、そこにいたるストーリーを製品の価値に付加して訴求をすることが重要である。それによって、人々の「感覚」や「気持ち」に訴えかけることができ、記憶されやすくなる。地域の魅力を個々の事象で伝えるよりも、いっそう共感を呼びやすいものにすることができる。

⑴　なぜ人は、その時、そこに行くのか、　地域への視点の変換

　次に実際に足を地域に運ぶ人々の視点から考えてみよう。人は、行動を起こす時、そうせざるを得ないきっかけがある。「そこへ行きたい」という気持ちはあっても、そこへ行くという行動を起こすのには、個々人のさまざまな障壁（「金銭的コスト」「肉体的コスト」「時間的コスト」「頭脳的コスト」「精神的コスト」）を乗り越えなければならない〔博報堂行動デザイン研究所・國

田 2016：113-115]。

　消費者行動でいえば、まず「認知」の段階があり、その地域を認知した
ら、情報収集をし、それをもとにどこに行くかの「比較・評価」の段階が
ある。その評価によって自らの「関与」の程度が決まり、いくつかの候補
（「考慮集合」）の中から、やはりそこに行きたいという「態度」が形成され
る。しかし、それでも上記したようなさまざまなコストが行動を規制し、
すぐには旅行行動には至らない。そういった、人の行動を規定する要素を
払拭しその地に行くという決定を促すには、繰り返しになるが、地域限定
の体験が必要になる。ほかの地にはないここだけの地域資源の提示、しか
も、今来なければ体験できないという限定性、さらにそれを「あなたのた
めにカスタマイズしてサービスする」という特別感の提示である。同時に、
ほかの人が欲しがるものを、今なら特別に手に入れられるという喜びをつ
くる必要がある。人は、人が欲しがるものが欲しい。今行かなければ入
手・体験できないプレミアム感と限定感のあるストーリーをつくることが
必要である。

　ただし、どの地域も差別化できる特別な地域資源（景観や名産）を持って
いるわけではない。それでも、何もない良さを差別化することでストー
リーは創れる。たとえば、人が少ないということは、安らぎや想像力の名
産地であり、人との競争が少ない分、若者は活躍できる土地ということも
できる。都会目線や経済が右肩上がりだった時代の考え方や発想をやめ、
フラットに超低成長時代を見つめたときに、新たなその土地の魅力が見え
てくる（図3-4）。辺鄙な土地は、「幻の」「いまだ手付かずの」近未来の理
想郷かもしれない。江戸時代の200年間の鎖国が日本独自の文化を醸成
し、それが現在の人々、さらにはインバウンドの外国人たちにとっての魅
力となっているように、濃く深く醸成されたものは薄っぺらな流行で生ま

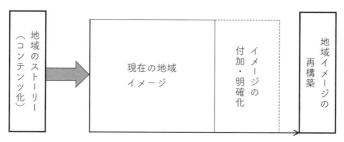

図3-4　地域のストーリー化によるイメージの再構築

（出所）岩崎作成。

れたものよりも圧倒的に魅力的である。人は、その土地ならではの真正性や独自性にまつわる物語により魅力を感じる時代になっている。

(2) メジャー感と限定感のコミュケーション戦略

　現在メディアは、テレビや新聞、雑誌などの広い層（若者から老人まで）に情報伝播させるマスメディアと、主に若者を中心とするSNSによる情報拡散の2種類のメディアが中心となっている。確かに、テレビでCMをしたり、番組でとりあげられたりすることが地域誘客のための大きなプロモーションになり、ましてやNHKの大河ドラマの舞台になった土地には多くの客が訪れる。しかし、それは往々にして一過性であり、すぐにまたもとの地域誘客数にもどってしまう。

　それに対し、人と人とのつながりや自らがその地に特別な魅力を感じて訪れた場合には、継続的な地域との付き合いになり、さらにはその地に定住することになる可能性も高い。つまり、マス発想から脱却して、あるいはマスでのアプローチと並行して、ひと月に1人でも、2人でもその地域のファンをつくる施策が不可欠である。人口減少時代をむかえる中で、マスベースのリーチを増やすより、一人ひとりとのエンゲージメントをいか

につくっていくかの方がより重要である。

　マーケティングにおいても、企業は自社のファンやアンバサダー（推奨者）をつくる施策を行っている。地域の場合は企業の場合とは異なる部分もあるが、その地域にコミットしてくれた人材を継続的にファンとして、地域に関わってもらうことが有用である。

　それは、『ファンベース』〔佐藤 2018〕でも示されているように顧客をマーケティングパートナーとして捉え、ともにそのブランドやサービスをもり立てて行くという、ファンをコミュニケーションベースとした考え方である。地域にロイヤリティの高いファンが、その友人や知人などのファンネットワークを通してリアリティのある推奨の声となり、その信頼感が新たなファンを生み出していく。そういった自然に醸成されたオーガニックな推奨が仲間を増やしていき、やがて地域への移住、定住につながっていくのではないだろうか。

　人をメディア化することの重要性は増している。地域において官が行っている PR は画一的なことが多く、誰がその情報を発信している当事者なのか顔が見えない。その発信には「いろんな事情で決まっているんじゃないの」という一般の生活者からの疑念はぬぐえない。マスメディアを活用した多くの人たちに向けた「メジャー感」の醸成と、ターゲットにむけたSNS などのネットやイベントを活用したファンベースの取り組みが必要である。やはり、「最近あの町、元気だよね」、とか「最近テレビでよく見るよね」というメジャー感は重要で人の目を向けさせる。しかし、それを行動ベースに持っていくには、今そこに行くためのターゲットを絞った施策が必要である。マスを中心とした情報拡散と人をメディア化したファンベースの情報伝播、その両方を合わせたマーケティング・コミュニケーションが欠かせない時代になっている。

注

1）「真実の瞬間」（Moments of Truth）：「従業員が顧客と接する僅かな時間で、その企業のサービスの良し悪しが決まってしまう」というサービスの概念。経営コンサルタントのリチャード・ノーマンが提唱した。当時スカンジナビア航空の社長兼 CEO だったヤン・カールソンが著した書籍『真実の瞬間（*Moments of Truth*）』（1987）によって注目される考え方となった。年間 1000 万人の搭乗者に対し、従業員 5 人が 1 人の顧客と接点を持つ時間は僅か 15 秒、そこで顧客満足が決まるという。本来は、闘牛士が牛にとどめを刺す一瞬をいう。

2）「旅行者から観光客へ──失われた旅行術──」『幻影の時代──マスコミが製造する事実──』参照。「観光客はますます多くの疑似イベントを要求している」（p.119）と主張する。

3）ジョン・アーリ：イギリスの社会学者。ランカスター大学社会学科教授。著書『観光のまなざし（*The Tourist Gaze*）』（1990）において、ミシェル・フーコーの「まなざし」の概念を用いて、近代観光を分析。「観光とは、日常から離れた景色、風景、町並みなどに対してまなざしを投げかけること」と主張した。

第4章　地域事例から

1　地域の物語と情報発信 ——インターネットの時代に——

　地域においては、今どのように情報を発信していくのが有効だろうか。ここでは筆者が関わった2つのインターネット放送の事例を紹介する。これらの放送のベースとなるのは、人がコミュニケーションの基点となるという考え方である。その地域の歴史資源や自然資源、食などに注目し、それを外部と内部の人の視点を通してコンテンツ化することで地域のファンになってもらう試みである。番組を見た人、参加した人が、SNSを通じてコミュニケーションをとり、それを拡散してくれることを目指している。

　こういったインターネット放送では、地域の魅力を発信する個人個人が重要なインフルエンサーになる。そこで語られる言葉や内容、切り口が、視聴者たちの心に刺さらなければ、リツイートしてもらえない。マスメディアのように一気に多くの人たちに伝わらなくても、少数のファンがほかの人に推奨してくれるような伝達、拡散の形が望ましい。その中の一人でも移住してくれればいいのである。そこからまた関係人口が増えていく。そこに住む人、あるいは地域のファンこそ最高のメディアである。

テーマ：「関門海峡への誘客」　関門海峡の真の魅力を発信し、ファンをつくる。

　関門海峡を挟む下関・門司地域は、古くから歴史の要衝にして、文化、食、景観等、さまざまなジャンルに「本物」がある。しかし、壇之浦や巌流島、平家物語や武蔵、小次郎といった名前を聞いてもそれがこの地域のものであることをすぐに想起できる人は少ない。明治維新もこの地域を抜きにしては語れない。地元の人にとっては気にもかけない日常のものであっても、外の人にとってみればまさに特別な歴史資源や自然資源が山ほどある地域である。そこで、他地域から著名なゲストを呼んで関門地域を体感してもらい、彼らの目がとらえた新たな地域の魅力を発信した。

　実施の主体となったのは、北九州市の総務企画局政策調整課と下関市の企画課である。依頼を受けたトミタプロデュース㈱の富田剛史氏と地域の広告代理店である㈱朝日広告社が実行主体となっている。私は富田氏から依頼を受け、放送イベントの立ち上げから関わり、地域の宣伝部長（番組コメンテイター）を担当した。

　内容としては、関門海峡の魅力、あるいは海峡に面している2つの都市（下関市、北九州市）の歴史や文化を中心にインターネット放送と市民参加の公開放送というカタチで情報を発信するものである。毎回、関門海峡の魅力をゲストである文化人やアーティストたちの目や感性を通して、単なるその地の景観や歴史ではなく、物語として訴求していった。広くターゲットを取らず、少し敷居を上げいわゆる「わかる人」

（出所）岩崎・高田作成。

を中心に訴求してきた。リーチを意識しながらも、こういった趣味性の高い番組を見に来る、もしくはそこに関わりを持ちたい人を取り込み仲間になってもらうことで地域のファンづくりを行った。従来のマス時代の方法論とは異なり「コアとなる関門ファン」をつくり、ファン同士がつながってさらに発信がなされるような形を模索した。放送とイベント内容は、以下のとおりである。

◆インターネット放送＆イベント

・日本有数の歴史エピソードの集積地であり、世界的にも稀有な海峡を挟んだ都市圏（関門エリア）の魅力を探るインターネット番組の公開生放送。

　2017 年 8 月〜 2018 年 2 月　合計 6 回開催

・毎回、動画投稿サイト YouTube で公開生放送　19：00 〜 20：30（90 分）

　〈イベント開催日程〉

　　第 1 回（8 月 24 日）　ゲスト：黒田征太郎氏（イラストレーター）

　　　　（写真 4-1）　　場　所：下関市生涯学習プラザ

　　第 2 回（9 月 15 日）　ゲスト：ハービー山口氏（カメラマン）

　　　　　　　　　　　　場　所：レストラン　陽のあたる場所

　　第 3 回（10 月 27 日）ゲスト：上大岡トメ氏（神社めぐり本の著者、イラストレーター）

　　　　　　　　　　　　場　所：uzuhouse

　　第 4 回（11 月 17 日）ゲスト：成河氏（俳優）

　　　　　　　　　　　　場　所：ブリックホール

　　第 5 回（12 月 15 日）ゲスト：玉川奈々福氏（浪曲師）・沢村豊子氏（曲師）

　　　　　　　　　　　　場　所：下関プラザホテル

　　第 6 回（2 月 25 日）　ゲスト：ナガオカケンメイ氏（デザイン活動家）

　　　　　　　　　　　　場　所：旧大連航路上屋

◆「関門時間旅行 Web サイト」の開設（www. kanmontime.com）

◆運営チーム：事務局：㈱朝日広告社、トミタプロデュース㈱

◎富田剛史（クリエイティブディレクター / メディアプロデューサー）、岩崎達也（地域の宣伝部長）九州産業大学教授（当時）、ANNA（生番組進行役）ラジオ DJ、橋本和宏（海峡都市研究家）コンサルタント、小野剛史（歴史ザムライ）郷土史家・歴史

写真 4-1　第 1 回放送の様子

（出所）「関門時間旅行」Web サイト / kanmontime.com

小説家、中野由紀昌（海峡都市の編集職人）編集者、カジタマサツグ（カンモナイト研究家）店舗設計、松本愛美・松本匠（海峡ロック詩人）アーティスト、沖野充和（下関 uzuhouse オーナー）事業者、原田康平（門司港 Tunnel オーナー）事業者、川端晋（カメラ / 編集 / メディア管理）、松本睦（中継技術）、眞鍋真三（地域プロデューサー）、田中結（企画補佐、SNS 発信）、石井賢（企画補佐、SNS 発信）、河津博之（技術補佐）、片岡千栄（受付事務ほか）

CASE ②　『今夜くらいトットリの話を聞いてくれないか』鳥取市

　鳥取市は、日本で二番目に人口の少ない（18 万 7829 人、2020 年 4 月 1 日現在）県庁所在地である。鳥取と聞いてすぐ思い浮かぶのは、鳥取砂丘である。これが圧倒的でその次に、二十世紀梨、松葉ガニ、らっきょうなどが続く。しかし、鳥取にはこの土地ならではの自然資源や文化資源、食など誇るべき一級の地域資源があるが、関東以北にはあまり知られていない。そこで、市や県が行う観光キャンペーン的なマスベースでの伝え方ではなく、人を起点とする切り口で 60 分間、司会者とともに鳥取の魅力を語ってもらう番組にした。そこでは、地域に対する一般的な美辞麗句ではなく、本音でその土地の何に魅せられ住んでいるのか、環境の厳しい部分も含め、その人物の生き方と地域との関連などについても本音で語ってもらうことで、少数でも共感できる人たちに伝わる番組を目指した。

◆インターネット番組

毎月最終水曜日放送　19：00 ～ 20：00（60 分）　主催：鳥取市

放送のコンセプト：「市民がメディアになる TV」

Season1　2018 年 10 月 31 日～ 2019 年 3 月 27 日

　文筆家のワクサカソウヘイ氏を司会に、ワクサカ氏の目線での鳥取の魅力の発信と、鳥取市でさまざまな分野で活躍している人たちにゲストとして来てもらい、リアルな鳥取を語ってもらう番組。さらに、鳥取大学放送部のメンバーによる鳥取市に関する研究発表コーナーを配し、大学生から見た鳥取市の魅力や不思議を発信し若年層への訴求も図った。地域に住む人たちをベースにおいて、他地域では絶対に経験できない自然や味、アートなどの体験などを独特の切り口で展開する番組にした。鳥取市であるからこそ言えるマイナーな部分も含めた魅力を最大の武器にし、マスベースのプロモーションでは補えない深い魅力の発信によるファンづくりを目指した。この放送を通じて地域の人たちのつながりができ、継続的な情報発信の基盤ができることも狙っている。この放送で取材した地域資源や地域を支える人などの映像をアーカイブとして残すことも目的のひとつである。

◆制作・放送体制

番組統括：鳥取市政策企画課

企画・コメンテイター：岩崎達也（関東学院大学教授）

MC・企画：ワクサカソウヘイ（文筆業）、MC：濱井丈栄（元 NHK アナウンサー）

パネル企画：成清仁士（鳥取大学准教授）（当時）

写真 4-2　第 3 回放送の様子

（出所）㈱ FM 鳥取

コーナー出演：鳥取大学放送部

番組制作：Producer 中原秀樹（FM 鳥取 代表取締役社長）、Director 山下弥生（FM 鳥取 副局長兼アナウンサー）

ゲスト：鳥取在住、発信力のある地元の有名人

〈イベント開催日程〉

第1回（10月31日）ゲスト：宮原翔太郎氏（パーリー建築代表）
　　　　　　　　　　テーマ：移住・定住
　　　　　　　　　　中継場所：喫茶ミラクル

第2回（11月28日）ゲスト：清末忠人氏（鳥取生物友の会会長、鳥取自然保護の会顧問）
　　　　　　　　　　テーマ：生き物・自然
　　　　　　　　　　中継場所：高砂屋

第3回（12月26日）ゲスト：植田英樹氏（鳥取情報文化研究所所長）
　（写真4-2）　　　テーマ：食文化
　　　　　　　　　　場　所：地場産プラザわったいな

第4回（1月30日）ゲスト：中川薫氏（Y Pub & Hostel 店長）
　　　　　　　　　　テーマ：I Love 鳥取
　　　　　　　　　　場　所：Y Pub & Hostel

第5回（2月27日）ゲスト：池本喜巳氏（写真家）
　　　　　　　　　　テーマ：I Love 鳥取
　　　　　　　　　　場　所：池本喜巳小さな写真美術館

第6回（3月27日）ゲスト：濱田香氏＆らっきょう女子会
　　　　　　　　　　テーマ：鳥取の農業
　　　　　　　　　　場　所：山陰海岸国立公園鳥取砂丘ビジターセンター

(1) ネット放送の意味　人が、最強のメディアである

　日本の地域における観光アピールやプロモーションは、今後ますますマスメディアによる総花的な訴求による認知から、人の推奨をベースとしたプロモーションへと移行する。人々は、そこにしかない真正性や限定性、

その土地ならではの文化や自然を求めている。SNSによるコメントや映像、写真によって海外からも多くの人がおとずれている。また、その地で知り合った人とのふれあいやつながりこそ重要な旅のファクターとなる。

　近年のツーリズムでは、コンテンツツーリズムに見るような、個人の趣味や思いの強さ（そこに行く「イミ」）によって、旅への行動が誘発されるものへと進化している。そこには地域の内発的な魅力の発掘と、ほかにはないこの地域だけの魅力の発信が必要である。その際、誰がどう語るか、誰のまなざしに共感できるか、といったことも重要な要素である。地域の宣伝によって認知したものをもう一押し、行動へ促してくれるのは、メディアとしての人である。

　関門海峡とその地域においては、壇ノ浦、武蔵と小次郎、馬関戦争を始めとする維新につながる武士や偉人たちの歴史資源が多数あり、景色も食も最高である。鳥取市においては、砂丘やジオパークなどの自然資源、古事記にある因幡の白兎伝説もあり、民藝や食という部分でも一級である。実際に行ってみれば、その良さ、すごさはわかるが、具体的なイメージとしてそれが想像できず、特に遠い地域からはあえてその地を目指そうという旅行者は少ない。また、地元の人々はそこを特別な地と考えておらず、また無二の絶景やほかにはない食材なのにそれをことさらにアピールしない。まだ手垢のついていない一級の観光資源がこの2つの地域にはあった。そこで、アプローチの仕方は異なるが、ゲストの言葉をとおして、あるいはよそ者の目、地域の人の目、アーティストの目などを通して、その地域の魅力を感じたままに発信してもらった。番組ごとに視聴回数は、一万数千回から数百回までの幅はあるが、それぞれゲストのブログやホームページからもその地域のことが伝達されることも多く、人々のソーシャルグラフに沿った広がりが期待できるものとなった。マスメディアにはない個々

による伝達によって、情報密度の濃さを実感できる放送だった。

(2)「個」が粒立つことが大事。表現の場は、地域というプラットフォーム

　少子高齢化と東京一極集中で地方都市の人口は、減少の一途をたどっている。それが地方都市の力を継続的に削いでしまうのは自明である。ところがここ数年地方のシャッター街や空き家を利用してそこでカフェやアートの店を行うなど、大都市ではできなかった自分を表現する活動を行う若者たちが増えている。

　人口が少ないことは、都市の経済活動という点では確かにマイナスではあるが、一人の人間の活動の場としては必ずしもマイナスとは限らない。人が少ないとは、個人が粒立つことであり、町の余白を利用して大いに活躍できる場があるということである。一昔前であれば、それを広く日本中にアピールする手だてもなく、たとえ地方のメディアがその活動を取り上げたとしても、全国のネタとして広まることは稀であった。しかし、インターネットが普及し、情報が一瞬にして世界に到達する現在では、どこでやるかという場所の価値は薄れ、その人がつくり出すコンテンツの価値やオリジナリティのある個々人の情報価値が重要になっている。その他大勢として、都会で埋もれるよりも、個々が際立つ地方で、自らの活動でその存在価値を証明するほうが精神的にも充実し、本当に自分の求めるものが表現できる。

　筆者がシティセールスで深く関与している鳥取市では、そういった若者たちがさまざまな活動を展開している。人口が少ないことは、それぞれが個人を尊重し、都会では「馬鹿なことを！」と一蹴されてしまいそうなことでも、おもしろがって応援するコミュニティがある。すべてが経済を中

心に回る東京や大阪などの大都市では、そういった個人の強い思いだけで
活動できるような余白はない。ここで紹介するのは、今の自分たちの町の
状況を把握し、そこに未来を見いだし、都会にはない町の余白を個々の思
いや才能で埋めて、精神的に贅沢に、楽しく生きる人たちの話である。

　次に2つの事例を紹介する。1つは、前述したインターネット放送『関
門時間旅行』でお世話になった北九州市門司港の「門司港アート・プラッ
トフォーム（MAP）」の事例である。そこで中心的に活動している池上貴
弘さん、岩本史緒さん、中村詩子さんに話を聞いた。もう1つは、筆者が
現在も活動している鳥取市のインターネット放送『今夜くらいトットリの
話を聞いてくれないか』のゲストに出てもらった「パーリー建築」の宮原
翔太郎さん。どちらも、これからの若い人たちの生き方と地域の未来のあ
り方が最もよくシンクロし、無理なく彼らの自己実現と地域の継続性に向
かっているいい事例なのではないかと思い、ぜひ紹介したいと思った。地
域の余白（使われなくなった地域の財産）とそこを拠点として活動する（ある
いは遊ぶ・表現する）若者たち。地域は、彼らの才能や思いを汲み取り併走
する。これからの地域の可能性を感じた。

 ## 2　今までと違う町おこしの立役者たち

(1) 北九州市「門司港アート・プラットフォーム（MAP）」:
　池上貴弘さん、岩本史緒さん、中村詩子さん

　リーダーの池上さんは、トラックや建設機械を輸出する会社を経営、岩
本さんは美術館・学芸課勤務で大学の非常勤講師（当時）、中村さんは市の
総合療育センターのリハビリ工学技士、それぞれの分野で活躍しながら地

域の人たちが集えるプラットフォームを立ち上げた。

　門司港は今文化的には停滞しているようにも見えるが、おもしろい人が集まってきている。そして、それぞれが小さなプロジェクトを始めている。門司港ファンが少しずつ増えてきている中、「MAP」は、人と人をつなぐ、まさにプラットフォームになればいいと思い、立ち上げたと彼らはいう。

　事業計画書の団体概要には、「かつて大陸への玄関口として栄えたが現在は人口減少など地方都市に共通の課題を抱える門司港。その地域性と課題を踏まえ、アートを通じ、さまざまな地域と人をつなぐハブ／プラットフォームを生み出すことで持続的で文化的なまちをつくるという趣旨のもと、2016年4月に有志によって設立された」とある。そして、事業内容は、「空き店舗や歴史的建造物の活用」「地域に住む人々が持つスキルのネットワーク化」「アートを通した人材育成と国際交流」「アートを通した地域資源の掘り起こしと作品づくりを通した地域の記憶の継承」である。アートとリノベーションを軸として、それぞれの才能とスキルをつなぐことを行っている。

　もともと目標があったわけではなく、結果としておもしろい人たちがプラットフォームに集まった。ゆるやかにつながるご近所の範囲内での活動であるという。また、この活動は、門司港の町おこしがきっかけではなく、友人同士のつながりから出発した。現在はグループで150人ぐらいがつながっている。飲み会やお茶会をやると30人くらいは常時集まる。それぞれの出会いが自然だったから、継続性があるのだという。池上さんを介しておもに20代〜40代の人たちが集まった。彼らは、門司港の商店街にみんなが集まる拠点として多目的スペースを設け、また築70年の旅館をリノベーションしてゲストハウスとし、アーティストたちのレジデンスの拠点としても活用している。さらに、門司中央市場の店舗をリノベー

ションし、ボランティアで運営する古本屋を営業している。「アートでも、写真でも、ご飯づくりでも、それぞれができることをやればいい。内発的かつ自足的にプロジェクトが回っていけばいいのではないか」と岩本さんは語る。

　そして、「MAP」は、現在「玄関口プロジェクト」を実施しており、3年をかけ段階的に展開した。1年目は、国内外の参加アーティスト／キュレーターによる門司港のフィールドワークとプロジェクトのプレゼンテーションを実施した。2年目は、参加キュレーター／アーティストが、門司港ですごし、作品づくりを行った。そして、3年目の2020年には、作品を公開した。こういった取り組みによって、「地域に根差した活動を行っているアーティスト／キュレーターと交流し、お互いの活動を学び合い、作品創作の場を共有」したり、「定期的にアジア各国で活躍するアーティストらが門司港に集う仕組みをつくる」ことを計画し実行してきた。

　彼らは、こういったアート活動を「ご近所アート（neighborhood art）」と呼ぶ。「近年、地域振興を目的としたコミュニティ・アートが増えているが、『コミュニティ』という言葉ではなんだか対象があいまいな感じがする。もっと個人の顔が見え、言葉を交わせる関係の中でアート活動を展開していきたいから『ご近所』という言葉を使った」と岩本さんはいう。

　「MAP」は、それぞれ顔の見える関係の中で、アートプロジェクトを企画・展開し、内と外を巻き込みながら「ご近所」関係を着々と広げている。最初は、明確な目的がなく始めたというが、現在では国内外のアーティストやキュレーターの交流の場をつくり、それを門司港発で広げていくという明確な目標を持っている（写真4-3、4-4）。「ご近所」はどこまでも広がる可能性を持っている。

アーティスト・トーク　　　　　　商店街の人たちとの勉強会

写真 4-3　MAP の活動（1）

（出所）「MAP 玄関口プロジェクト 2019 事業計画書」より。

多目的スペース　　ゲストハウス・ポルト　　　　シマネコブックストア

写真 4-4　MAP の活動（2）

（出所）「MAP 玄関口プロジェクト 2019 事業計画書」より。

(2)「パーリー建築」：宮原翔太郎さん

　「パーリー建築」は、日本各地の空き家を地元の人たちとリノベーショ
ンし、暮らして行く生活スタイルを実行しているリノベーション集団であ
る。宮原さんはその中心的存在で、大学卒業後、建築の専門学校で学び、
その後「パーリー建築」と称して日本各地をまわり、地域の人たちと家屋
のリノベーションを行っている。現在は鳥取市の浜村温泉という昭和の香

写真4-5　喫茶ミラクルとパーリー建築の仲間たち

（出所）宮原氏撮影。

りがする町で長年空き家だった床屋とスナックを自分たちの手で喫茶店へと改修し、そこを活動拠点としている（写真4-5）。

　私たちの放送の中で、宮原さんは「パーリー建築」とは、「とにかくパーティーを続けながら建築を行う方法のこと」と言っていた。もう少しわかりやすくいうと「改修する物件に住み込んで、施主や地域の人たちを巻き込んで一緒に物件をリノベーションする活動」のことで、どうせそこに寝泊まりしているなら仲間たちとパーティーしながら改修しようということだ。宮原さんたちは、リノベーションした「喫茶ミラクル」を運営しながら町の建築屋さんとして活動している。

　浜村温泉は、過去には温泉街として栄え、年間4万5000人ほどが訪れる町だったが、現在はさびれて年間4000人程度の訪問客になっている。そんなさびれた町に住むようになったのは、鳥取市で行われたリノベーションセミナーで浜村の建築業の人に出会ったことがきっかけだった。しかし、各地を渡り歩く彼らにとってそれだけでは、定住するきっかけになるとは思えない。宮原さんは、こう語る。「鳥取に決めたのは、もうほかのところはプレイヤーがいるなと思ったから」。地域に活躍の可能性があ

り、個人が粒立つ場だということである。さらに、日本海新聞の取材に、宮原さんは、「古民家を自分たちの手で楽しく改修することで家や地域に愛着が湧き、それが、日本全国の深刻な空き家問題の解決の一助となる」、さらに「沢山の人に関わってもらい、可能な限り持ち主が自分の手でつくり上げること、……こういった要素こそが地方で持続的な場や豊かな生活を実現するための建築手法」だと語っている（掲載文簡略化して記載）。

　インターネット放送のセッティングやリハーサルをする間、「喫茶ミラクル」には次々と若者たちが集まり、私たちの放送デスクの横で語らったり、ゲームをしたり、また厨房では懸命に本格的なカレーをつくったりと、それぞれが生き生きと動いている姿を見ることができた。ゲストで出てくれた宮原さんは、自分たちのセルフリノベーション活動の話をしてくれたが、印象深かったのは周辺のスペースを利用して、展示イベントや音楽イベントなどを次々開催していること。そして、地域の人たちとイベントを通してのつながりに力をいれていることである。見せてくれた写真の中には地域の運動会に参加した時のものがあり、お年寄りから子供たちまでたくさんの笑顔が写っていた。

　地域こそコミュニティが大切であり、そことの深い関わりなくして生きていけない。浜村温泉の人たちには、よその地域から来た「パーリー建築」などという普通ならとても理解できない若者たちを快く受け入れ、お互いの価値観を認めながら地域を明るくしようという懐の深さがあった。鳥取市に通って6年目になるが、地域の人たちと接して筆者も肌で感じたことだ。今後地域は、その地域への移住・定住が重要なテーマになるが、外部の若者たちと地域の高齢者も含めた人たちとの共創が欠かせない。宮原さんたちの活動を見ていると、楽しみながら自己表現し、それが同時に地域に元気をもたらすというWin-Winの関係になっている。地域の余白

を埋めることが、自らのハッピーを生み出すという今後の持続可能な町づくりのヒントになるのではないか。

第5章 組織行動から見た「人を動かす」リーダーの心得

はじめに

　どのような素晴らしい資源があったとしても、それを育み活用するのはそこに住む人間である。地域を変えるのは、よそ者、若者、馬鹿者といわれて久しいが、すべてのよそ者や若者や馬鹿者が地域の変化に貢献できるわけではない。

　地域は人の集団である。多くの場合、地域は共通した明確な目標を持たずに、緩くつながっている。これに対して、企業や学校に代表されるようないわゆる「組織」は、明確な目標に向かって何らかの調整を受けながら活動をしている集団である。

　地域を変えるということは、本来共通目標を持たない人間の集合体に、何らかの目標を持たせ、ある方向に向けて行動してもらうという一連の活動が求められる。これらは大きな困難を伴う。企業や学校、趣味の団体など、多くの集団は何らかの嗜好性や目標が一致してつながり、形成される。そして、大概の営利組織はお互いの利害関係が明確に存在する。それゆえお互いが歩み寄る着地点がわかりやすい。お互いに「落としどころ」を探る作業になるからである。

　ところが、地域は何らかの目的を持って集団で居住をしているケースでは無い限り（たとえば、企業城下町の地域や、宗教法人がコミュニティの中心とな

る地域などはある種の目的を共有している集団と考えられる）、その構成員は場所を通じた緩い関係性を持つのみである。集団を形成する多くの人々が地域への愛着や愛情を持っているケースは多いが、必ずしも全員ではない。

　単にそこに先祖代々生活しているという理由で地域の成員となることもあるだろうし、何らかの愛着が持てそうという予感を持って外から移動して成員となることもあるだろう。反対に物理的な居住地としているだけで地域に無関心、無頓着な場合もある。もちろん、非常に強い愛情を地域に持っている成員もいる。地域に対する思いの濃淡が幅広いうえに、お互いの利害関係が強く存在しないことが多い。１つの方向にまとめにくいのが地域である。そうはいっても地域関係者である以上、地域の成員の意向を無視することも何らかの強制力を発揮することも難しい。

　第１章で述べたように、地域をマネジメントすることにおいて最も重要なのは地域の「こうなりたい」すなわち地域の共通目標を示し、成員を巻き込むことである。地域をマネジメントするということは、元々地域への思いや感情に濃淡がある中で、多数をある方向に導く行為である。そこでは地域の成員が元々持っている特性とかなり真逆なことが求められる。企業組織と違い、社長が示したある方向性への個人の貢献をすべての関係者に強制することはできない。「こうなりたい」像につながる行動の規範が関係者に緩やかに伝わり、自分のものとなることが求められる。考えただけでも気が遠くなる作業である。

　集団の中でどのような行動が取られると、その集団が変化するのか。変化を起こす人材はどのようなリーダーシップを取るのか。これらを考えるのには組織行動学からの知見が有用である。「人を動かす」ことは非常に長い間経営学、特に組織行動学の中心的テーマであった。本章は地域という視点から人を動かす事について考える。

1　人の集団はすぐには変化しない
――人間が変化するプロセスを知る――

　最初に断言しておこう。人の集団はすぐには変化しない。もしも読者の皆さんが、本書に即効性を求めるのならばそれは無理というものである。諦めた方がいい。本来、人間が劇的に変化することはマレである。目からうろこがおちた経験があったとしても、すぐには人間の行動は変わらない。頭の中で検討し、さまざまなシミュレーションを行う時間が必要だからである。人によってはすぐに変わる人もいるだろう。しかし、集団で見た場合に非常に時間がかかる。特に、強い利害関係で結ばれていない不特定多数の人々を動かさなくてはいけない場合は、それぞれの腑に落ちるところが違うために特に時間がかかる。

　恋愛感情の場合は「百年の恋も一瞬で冷める」ということがあるかもしれない。「一瞬で冷める」と文学的に表現されているけれども、時系列で考えると案外時間が掛かるのが普通である。例外はあるとしても、一般にはある程度の時間を投入して付き合っていた恋人と別れるという行為は、瞬時の意思決定を求める性質のものではないからである。つまり、何らかの事象が発生して、相手に対して疑義を持つことと、自分の中で相手への評価を決めるまでには葛藤があり、意思決定をするまでの時間を必要とする。特に、今まで思い込んでいた考え方の枠組み、つまりマインドセットを変化させるには、それ相応の時間が掛かることを頭に置くべきである。

　人間は機械ではないので、何らかのプログラムをインストールするとすぐに行動が変化するというわけにはいかない。どのような場合でも自分の中で、咀嚼し理解し意思決定をしてはじめて行動する。刺激を受けてから

行動にいたるまで大きな個人差がある。深く物事を考えない人はすぐに反応し行動を取り始めるであろうし、注意深い人は時間が掛かるだろう。新しいことを取り入れるのが好きな人は比較的早く変化するだろうし、守旧派はなかなか変化しない。

　何かを変えようとするとき、地域が今までのやり方を大きく変えようとする際には、時間軸を大きく取る必要がある。変化の個人差から生じる時間差が必ず生じること、それは仕方がないのだということを心しておくべきである。自分のペースを相手に求めてはいけない。

　ただし、例外がある。身の危険が迫っているときである。その際、人間は直ちに自分のマインドセットを改変して事態に対応する。これは生き物としての防衛本能に基づくものなのかもしれない。

 2　　マインドセットを変えるには時間と手間がかかる

　なぜ一般的に時間がかかるのか。これは人間の認知行動に由来する。人間は考え方の枠組みを持つ。これは2つの部分からなる。第一に「こうあるべきだ」という自分なりの進むべき方向性を持つ。そして第二に、その実行のための行動の規則を持つ。この考え方の枠組みをマインドセットとよぶ。生活習慣に根ざしたマインドセットは変化させるのには時間と手間がかかる。なぜならば、「こうあるべきだ」は長年の育った環境や生きてきた環境の影響を受け形成されていくものだからである。

　九州男児を例に取ろう。九州で生まれたもしくは育った男性への総称である。私は福岡生まれで、親戚の多くが九州地区にいるために、いわゆる九州男児に囲まれて育った。一般に、九州男児は一本気で、勇ましく、「家事は女性、仕事は男性」という考え方を持った人と評されることが多

い。私の周りを見ても「このご時世に」と思いつつも「家のことは妻に任せています」という男性は多い。もちろん、時代は変わっているので、若い世代ほどこの傾向は稀薄化しているが。

大和ハウス工業が2018年に行ったインターネット調査で、家事シェア力のワースト５には、47都道府県中　長崎（47位）、佐賀（45位）、熊本（43位）と３県がランクインしているところをみると、あながち的外れな総称ではなかろう。「家事は女性がやるものだ」というのは、子どもの時から刷り込まれているマインドセットである。家事＝女性を基盤に行動の規則がつくられ、マインドセットとなる。

ペルソナとして長崎生まれで母親は専業主婦、その後大学時代を熊本で過ごし福岡で就職した青年を想像してみるとよい。子どもの頃から家事は姉や妹が指名されてやり、「男の子なんだから、あなたは家事なんて手伝っている暇があるのならば勉強しなさい」といわれて育ち、大学時代もそして就職してからも、家事をする機会がなかったとしたら、その青年のマインドセットはより強化されていくのは確実である。

この男性が東京出身でアメリカ育ち、大学入学時に東京に戻ってきたという帰国子女の女性と結婚したとしよう。彼らが一緒に暮らし始めると、家事を巡るさまざまなコンフリクトが発生するだろうことは想像するにたやすい。念のため言い添えておくが、私は生れ故郷である九州に強い愛情を持っており、すべての九州男子がこのようであるとは思っていない。

家事＝女性、というマインドセットを変えるには、何らかの事象が発生して強烈に必要に迫られるか、マインドセットをかえて対応した方が自分の身に「得だ」という予測がついたかのどちらかである。いずれにせよ、時間と手間が掛かるのは間違いない。

マインドセットの変更を余儀なくされる事態は、昨今よく見ることがで

きる。今までは上手くいっていたものが、環境の変化によって考え方を変えないと対応できなくなる。マインドセットの変化ということで最も分かりやすい例は、我が国が経験した新型コロナウィルスでの生活の変化だろう。人と直接会うことが商売の基本とされてきたことが、瞬く間にウェブ上でのやりとりが推奨されるようになった。危機を伴う外的要因によって、マインドセットの変更は余儀なくされる。

　繰り返すがマインドセットの変更は何らかの危機に直面した時に最も多く行われる。先の九州男児の例であるならば、日常生活で発生するさまざまな妻とのコンフリクトへの対応と戦いの後に、離婚の危機に直面し、自らのマインドセットを変更するのかもしれない。自分の今までのマインドセットでは不利益が生じる場合に、人は自らのマインドセットを変化させる。もちろん、変化しないで別離の道を歩くこともこのケースではあろうが。

　外的環境の変化で、マインドセットを抜本的に変化しなくてはいけない場合もあるし、一部修正をして対応可能な場合もあろう。マインドセットを変えるということは、それまでの行動や考え方を変えるということで、思い込みの強度が高い程、変化には時間がかかる。

　ただし、例外がある。全員が危機だと察知するような事態が発生した際には、マインドセットは比較的早く変化する。人間の本能は自らの安全を守ることであるから、それが脅かされるような事態が発生した場合は速やかに新しいマインドセットを作成し受容しようとする。たとえばコロナ災禍前は「外国の観光客熱烈歓迎」であったのが、突然手のひらを返したように地域をあげて「よそ者排斥」への急激に変化したことはその一例だろう。

　いずれにせよ、通常の状態において人は直ぐには変化しない。地域は生

活の基盤である。地域に対して時間を重ねてできた思い、強いマインドセットがあることは間違いなかろう。そこで新たなことを行うには、古いマインドセットを何らかの形で変えていく必要がある。これには非常に時間がかかることを心する必要がある。ていねいにきちんと地域の「こうなりたい」を説明し、理解を得る。最初から変化を喜ぶ人はほとんどいない。それでも腰をすえて説明し、自ら実現に汗を流している姿を見せることで少しずつ変化していく。地域を変えることは長い時間のコミットメントと人々の努力が不可欠なのだ。

第6章　マインドセットを変える

1　レヴィンのモデル ——解凍、移動、再凍結の３段階——

　どのように人々の考え方や行動が変化していくのかは多くの研究がなされてきた。その基盤となったのは Lewin［1951］の変化モデルである。人間の態度変容から組織変革までさまざまな場面で使われる古典的なモデルである。レヴィンは人や組織の変化は解凍、移動、再凍結の３つのプロセスを必要とするとした（図6-1）。

　解凍：一定方向に向かっていた集団に新たな考え方が入り混乱が発生
　　　　している状態
　移動：新しい考え方が主流になりつつあり、最も混乱している状態
　再凍結：新しい考え方が主流となり、新たな行動の規則となった状態

　三段階を経るということは、変化には時間が掛かるということの証左でもある。それぞれのステップを経た上で人の気持ちが変化し、行動も変わる。滞在時間の差こそあれ、変化がおきるためには多くの場合、三段階を踏む。刺激 → 反応のような直接的な変化は少ない。多くの人間にマインドセットの変化が発生する必要があり、通常ではそれには多くの時間がかかる。

　ここでは宮崎県綾町を例にとって、この解凍、移動、再凍結の３つのプ

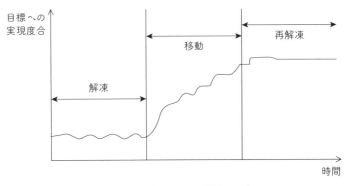

図6-1　レヴィンの三段階モデル

（出所）Lewin［1951］をもとに高田作成。

ロセスをさらに詳しくみてみよう。

(1) 解凍の段階　——初期変革グループが動き始める——

　第一段階は解凍のプロセスである。現状に不満や疑問を持った少数の人々が新しい方向性を示したことからすべては始まる。本書では、最初の段階から新しい方向性に賛同した人々を初期改革グループと呼ぶ。初期改革グループはほかの大多数の人々に「自分たちの今の状態や、皆がやっていることはおかしいのではないか」と現状への疑問を示す。そして、新しい考え方を提示する。既存のマインドセットに対して、新しい方向性とそれにともなう行動の規則をつくりつつある段階である。人々が新しい考え方や方向性に対して、色々困惑し、悩み、新しいモノを取り入れようか否か右往左往している状態のことである。

　レヴィンは新しい考え方が示されて人々が困惑し、右往左往し始めている状態を氷が溶けいく状態、解凍と名付けた。変化を必要と感じ、旧来の行動の規則や物事のやり方を変化させようとする初期改革グループが発足

88

する。彼らの働きかけによってグループの人数が徐々に増えていこうとしている状態である。その後さまざまな刺激を受けて多くの人々の意識が解凍（unfrozen）される。この時期は最も不安定な時期で、人々が新たな行動の規則を探っている段階といえる。

　個人の場合は、ある種の気づきがあり悩みながら変化する。組織や地域の場合は、新しいことや、発想を一部の人が考え、変化に向かっている状態である。この際必ず抵抗がおこる。社会的慣習や習慣の変化を嫌う力、変化によって現状のパワーバランスが壊れることを嫌う力が揺り戻しに動き、激しいぶつかり合いが発生する。特に何かを廃止する等の現在の価値観から離れた方向に行こうとすればするほど激しい抵抗がおこる傾向がある。

　綾町は宮崎県の中央に位置した地域の78％が山林の町であり2012年にはユネスコパークに登録されている。日本の人口が全体的に減少している一方で綾町は人口の変化が少ない。高齢化は進み人口の自然減は進んでいるが、同時に移住者が綾町にやってくるからである。宮崎県の人口が1980年に約115万人から2018年には107万人と8万人減少しているのに対し、綾町は7261人から7111人の変化である。豊かな自然と暮らしやすさに共感し移住してくる子育て世代の層が一定数存在し、それが町の活性化に寄与している。今の綾町の基盤は1960年代後半からつくられた。

　当時から綾町は日本一の規模の原生林、照葉樹林が広がる地域であった。町の主産業は林業であったが、時代の流れと共に衰退し、町は荒廃し過疎化が急激に進んだ。ピーク時には1万1000人を超えていた人口も、8000人を割った。元々農耕面積も総面積の9％と少なく肥沃とはいえない土地であった。農業をする場所としても魅力がない。多くの住民が町を出て行き、当時の綾町は「夜逃げの町・人の住めない町・若者が出稼ぎに

（出所）岩崎・高田作成。

行く町」と残った住民は自嘲的に表現した。

　そんな折、町周辺の国有林大規模伐採の話が持ち上がる。短期的には雇用が生まれるし、町も潤う。多くの町民がこの話に飛びついた。しかし、町長の郷田氏は反対した。「伐採が終わった後、一体何が残るのか。山肌がむき出しになった裸山が残るだけで、何百年にわたって綾の自然を育んできた自然林を破壊することになる」と一人で反対を唱え町民の説得に当たった。町は２つに割れ、郷田氏の自宅には深夜、反対派住民の抗議が騒がしく、家屋への投石で窓が割れたことが何度もあったという。

　綾町では、森林伐採派が主流の中で、自然護持派は当時の郷田町長を中心にごく少数であった。彼らが初期改革グループである。初期改革グループが多くの話し合いの場を設けたことや、人々に伐採後の綾町のイメージを示すなど、ほかの住民たちへの積極的な働きかけを行ったことによって、住民の間に「森林伐採が本当に将来の綾の子どもたちの為になるのか」という視点が生まれ、新しい「こうなりたい」が創出されはじめた。この時期は森林伐採派と自然護持派とのせめぎ合いが続いた。新勢力である自然護持派の台頭は、森林伐採派に揺動を引き起こし喧々諤々の議論が町の至る所でなされた。解凍によって町内がぶつかり合い、新しい価値観を生み出している最中の典型的な現象である。

(2) 移動の段階

　解凍のせめぎ合いに一段落つき、人の気持ちが変わっていく段階が移動

である。何をどうするべきかという選択肢を検討し、実行する移動（moving）時期であり、勢力図的には改革グループの人数が急激に増え、今や無視できない規模の勢力になっている。多くの人々が、新しい価値観を取り入れ受け入れ始め、新しいマインドセットをつくる為に、行動の規則の再編成、試行錯誤を始める。人々の新しい進むべき方向性が大まかに一致し始めている状態である。「こうなりたい」の内容の変化は、価値観の変化ともいえる。当然のことながら、その発生や進行には個人差がある。移動の段階は、各自の意識がまちまちで、全体で見るとまだら模様になっている状態である。

　多くの人がそれぞれのやり方、考え方でもがいているために、一時的に混乱状態、カオスが発生するのは避けられない。守旧派は自分たちのアイデンティティが失われるのを恐れ、極めて激しく新しい流れに反発する。変化に反対する抵抗勢力の活動が活発化し、それへの対応も迫られ、人々の動きが最も激しい時期である。

　先の綾町では元は少数派であった自然護持派が大きな勢力となりつつあった段階で、この時期はけんか等の荒っぽい事件が多く発生したという。自然護持派と森林伐採派で小さな町は割れることが多く、飲み屋や集会で一触即発の事態であった。

　勢力図を考えると森林伐採派の人数が徐々に減りはじめ、自らのマインドセットが今後有効なのかと、もがいている状態である。今までのやり方やマインドセットを最初から変化させることが求められるために心理的に追い詰められている。そんな中で、怒りの矛先が反対の立ち位置にいる郷田町長に向かったのである。

　それでも郷田氏は「照葉樹林は豊かな日本文化を生んだ。あの山を残さにゃならん」と、熱心に説得を続けた。郷田氏の示した「こうなりたい」

は広葉樹林の山が自然のままのこる綾町を維持することであり、その声に最初に賛同したのは町の消防団に属する若者たちであった。防災の視点から森の重要性を実感していたからである。徐々に町の若者たちが耳を傾けるようになり、最終的には町を挙げての伐採反対の動きとなり、伐採計画を国に撤回させた。

(3) 再凍結の段階

混乱を経て、最終的には自分たちなりの新しい行動の規則が固定化され新しいマインドセットとなる再凍結（refrozen）の時期になる。この状態になると、初期グループは過半数を超え、抵抗勢力は少数派になり、大部分が新しい「こうなりたい」の姿を受入れている。新しいマインドセットを基盤として、行動がとられている状態である。

新しい行動の規則を定着させるために、強化、奨励する環境をつくることが重要とされる。新しい「こうなりたい」を共有するために、折に触れて方向性を確認するという作業が必要になる。

綾町では森林伐採を中止した後に、自然護持がキーワードになっていった。森林伐採で得られるはずであった収入を別の形で得なくてはいけないと、新しい共通の目標が生まれた。森林伐採派の振り上げた拳は、形を変え、町をあげて恵まれた手つかずの自然を基盤とした有機栽培農業を行うことに進んでいく。自然護持、環境保護という「こうなりたい」の姿が新しいマインドセットとなった。

 2　変化の段階を地域に応用してみる

表6-1は、マインドセットの変化の概略を示したものである。

以下、レヴィンの三段階モデルを地域にあてはめて考察してみよう。

(1) どうやって変化を起こすのか ——解凍が最も困難である——

繰り返すが、人の変化、集団の変化、そして地域の変化には時間が掛かる。利害が一致しておらず同じ方向に極めて向きにくい集団に対して、どのように変化を起こしていくのか。これは最も大きな問題である。変化は、最初は少ない人数が現状に不満や疑問を持ち、又は新しい視点を発見し、今までと違う考え方ややり方を提示することから生じる。問題は、これを解凍の段階、そして移動の段階まで持っていけるかである。多くの地域おこしや改革が失敗に終わるのは、新しいアイディアや考え方が解凍の段階にまで到達せず、ましてや移動の段階に足を踏み入れることすらないことに起因する。

(2) 解凍が発生する要件

経営学の知見を援用するならば、組織、人の集団はおかれている環境の変化に対して、その姿を変えて適応しようとする〔Laurence and Louche 1967; 加護野 1980〕。解凍は環境変化とそれに適応しようとする人々の相互作用があって始まり、進行するのである。

注意しなくてはいけないのは、環境そのものの変化と、変化した環境を地域の人々がどのように解釈するか、という2つのレベルが存在することである。大きな環境変化が起こったとしても、地域の人々がその環境変化に対して何の心理的な影響も受けなかったとしたら、変化は発生しない。新しいマインドセットの構築にむけて試行錯誤が行われることもない。IT技術が進み地域に住む人々の生活が便利になったとしても、便利になったことが直接、人々を変革に走らせることは少ない。環境に対して人々が何

表 6-1　二段階モデルの実際

	解　凍	移　動	再凍結
参加者　主たるプレーヤー	・数人の新しいことをしたがっている人、何かを変えたがっている人 ・危機感を持った人 ・それらに賛同した人 ・新しい事をした方が得だと思っている人	・ABCD の人数の増加 ・新たに賛同して仲間に入ってくる人が増える ・行動の規則がつくられPDCA サイクルが回り始める	・地域の多くの人のマインドセットが新しいものに変わる ・行動の規則がつくられて、PDCA サイクルが回る ・より精緻なものへ行動の規則が洗練される
主たるプレーヤーの行動	・夢を語る、未来を見せる、思いを語る ・仲間を増やす	・小さな成功体験を経験する ・小さな成功体験を周囲に見せる	・一部でルーティン化する ・成功体験を経験する者が増える
周囲の反応	・無視 ・守旧派は真っ向から反対 ・守旧派からの妨害 ・守旧派からの有形無形の嫌がらせ ・少数の人間の参加	・興味を持ち始める人が複数出てくる ・観察モード ・活発に新しいマインドセットにそった行動が行われる ・守旧派が身を挺して妨害をしてくる	・多くの人が興味を持ち行動を始める ・ついて行けない人が出てくる
全体の中での初期改革グループの割合	少ない　1 割程度	3 割を超える	過半数を超える
初期改革グループの評価	・変わった奴らとの認識 ・一理はある	・変わった奴らだが、一理ある。若い人たちの言うことも聞いていかなくてはいけないかもしれないな	・新しい行動の規則を守り皆で Win-Win の関係になりたい

（出所）Lewin［1951］をもとに高田作成。

を考えるかである。

　人間はおかれている環境を解釈し、未来を予測して生きている。現実がどうあれ、今の状態を未来永劫維持できて全く変化がないと多くの人々が

思っている場合は、解凍は起こりにくい。人間は日々の生活の急激な変化を基本的には好まない。環境が激変しても、少なくともその日の生活ができ、現状に満足はしていないが、大きな不満や不安もないと感じている時には、変化のための行動を取ることはないだろう。反対に環境の変化が自分の未来を脅かすと解釈した時には行動をおこしやすい。

(3) 解凍が始まる条件 ① ——明らかな危機と認知する——

　人々の間で解凍が始まるためには2つの要件のどちらかが不可欠である。1つ目は、多くの人が「現状ではまずい、このままでは潰れてしまう」という強い危機感を持つことである。人間は常に将来を予測して生きている生き物である。将来、自分の身に何らかの不利益が襲いかかることが予想されたならば自分の身を守ることを最優先させ、新しい行動の規則を模索し始める。

　地域の場合、現状に対して真剣に危機感を持った人が複数人いることが不可欠である。すべては環境変化を自分なりに解釈し、このままではいけない、なんとかしないといけないと考えることから始まる。よく何かを興すのは「よそ者、馬鹿者、若者」といわれるが、これらの3種類の人間は、現状維持、現状肯定の価値観を持たない場合が多い。よって、環境の変化を多くの地域関係者とは違った角度で自分なりに解釈し危機感を持つ。

　島根県海士町は離島でありながら、現在では地域づくりのトップランナーとして知られる。一連の改革が始まった契機は、町の財政の危機的状況が露呈し、山内（前）町長が当選した2002年に始まる。この時期、誰が見てもこのままいけば財政再建団体へ転落することは明らかであった。危機感が町長を中心に役場の人々の中で解凍を始め、新しい「こうなりたい」を作成し始める。山内（前）町長の下で海士町職員の給料カットをはじめとしたコ

隠岐の島町

海士町

松江市

（出所）岩崎・高田作成。

ストカットと、生き残りを賭けた一点突破型産業振興策に打って出た。これは目前に迫った財政再建団体への転落という明確な危機の認識が多くの人を突き動かした好例である。

町市の財政状態が良好なのに、誰かが目に見えない危機を察知し何らかの「こうなりたい」をつくり皆に伝播し町を変えるというケースはほとんどない。海士町の事例のように、誰が見てもまずい状態が顕在化し、初めて危機感を持つというのがほとんどである。多くの組織改革が、危機が目に見える形で迫ってきて初めて多くの人を巻き込むのと同様に、危機が可視化され目前に迫ると人々は初めて、事態が「他人ごと」から「自分ごと」に変化する。

変化を興したいと企てているサイドからいうならば、危機と思われることを隠すのではなく可視化することによって、地域の変化を後押しすることは1つの策である。人間は自分の身に危険が迫ると否応なく活動する生き物である。危機が迫っていると多くの人が認知したときほど、集団の気持ちが1つになる、いわゆる凝集性が高まるときはない。誤解をおそれずにいうのならば、1999年に始まる日産のカルロス・ゴーンによるリバイバルプランとその後の見事なV字回復は、従業員のみならず関連する企業を含めたすべての人々が日産は危機にあると認知していたことが、成功要因の1つに挙げられる。もちろん、当時のゴーン氏の（当時は、という言い方が彼に対しては正しいのかもしれないが）マネジメント能力と社員たちの流した汗が最大の成功要因であることは間違いないが、倒産寸前の日産という共通認識が追い風になったことは否定できまい。危機は発生して欲しく

ない事象ではあるが、反面、危機には人々が1つの方向性、1つの「こうなりたい」に向かって多くの人々のベクトルが1つの方向に収束されるという効果がある。

(4) 解凍が始まる条件 ②
──新たな考え方が自分たちにとって「お得」になる──

解凍が発生する2つ目は、新しい考え方が自分たちにとって大きな利益をもたらすと予想できる時である。提示された新しい進むべき方向性とその為の行動の規則を実行することの方が、古い行動の規則を守るよりも自分たちにとって得だと感じることができた時である。新しい行動の規則をつくる為に解凍がおこり、変革が始まる。

徳島県上勝町は葉っぱビジネスで解凍を経験している。徳島県の営農指導員だった横石知二氏は、上勝町に赴任した際に主力産業であったみかんが1981年の異常寒波で壊滅的な被害を受ける。その打撃を補うために日本料理の"つま"にする葉っぱビジネスを思いつき、新たな上勝町の主力産業にしようと奮闘を始める。

しかし、最初は葉っぱを拾うこと自体が町の大多数の老人に受け入れられなかった。高齢の農家の人からしてみれば、農作物をつくるのではなく、葉っぱを拾うということは恥ずべきことで、彼らのプライドが許さなかった。落ちている葉っぱを拾うことに対して価値を見いだしていなかったからである。農業で生活してきた彼らにとっては、野菜や果物をつくり育てること

（出所）岩崎・高田作成。

97

のみが、農業であった。

　地域の所得を上げるという横石氏の強い思いと周囲への粘り強い協力の要請と説得によって、葉っぱ集めに4人が参加した。紆余曲折はあったが長い時間をかけて上勝町の“つま”が市場に認められ、その後壮絶な努力によって紆余曲折を経て確実に販路が広がっていった。老人たちに葉っぱが纏まった現金収入をもたらした。収益という目に見える形で価値が明らかになった。多くの住民にとっては葉っぱを採って売った方が細々と農業をしているより明らかに自分たちにとって「お得」になる事態が発生したのである。最初は馬鹿にしていた老人たちも趣旨変えし、葉っぱビジネスに参加する老人が増え、町の構造そのものが、蜜柑造りをしている過疎の町から、高齢者が葉っぱビジネスで生き生き働いている町へと変化した。

(5) 解凍が始まる条件 ③

――新しい事をやってみたら新しい視点が見えた――

　3つ目は2の変形バージョンでもあり、最も良く見られる形である。何か新しい事をやってみたら、新しい視点がみえて自ら変化をしていく。いわゆるよそ者や若者が興した新しい運動が、地域に根付き地域そのものを変えていくケースである。たとえば、札幌市の YOSAKOI ソーラン祭りは、よそ者が始め、その後周囲を巻き込んでいった好例である。

　1992年に北海道大学の一学生がはじめた YOSAKOI ソーラン祭りは、開始当時は10チームが参加した小さな学生イベントであった。それが現在では参加270チーム以上観客動員数200万人を超え、全国から人が集まる大きなイベントに成長した。現在 YOSAKOI ソーラン祭りは、さっぽろ雪まつりとならび、観光の目玉となる大イベントとなっている。

　第一回開催の当初から学生が実行委員会をつくり企業と個人から足で協

賛金を集め、その後は参加費や観覧席販売も運営費に加え行われている。札幌市からの助成金は少なく、事実上学生団体が行うイベントである。最初は海のものとも山のものともわからない学生イベントに協賛するのを嫌がった企業も、第1回目が20万人を集客する成功に終わった後、考え方を変える。「企業にとっての直接的な利益ではなく、祭をつくり出す事への期待」が大事と気づき、協賛することの楽しさや意義を見いだした。最近は商業主義に走りすぎているとの批判も一方ではあるが。

　参加した若者たちは、自分たちの手で何かを興すことの喜びや楽しさ、祭を通じて他地域の人と知り合い、つながる面白さを知り、それが札幌全体の活力につながっている。そして、地域スポンサーやボランティアとして参加した企業や、人々も、新しいことが巻き起こす「今までとは環境の違う状態」を受け入れ、それを学習して自分たちの成長に繋げてきた。

　本来、祭は伝統的な地方都市の社会構造を反映したものになる。古くから住む町の顔役がピラミッドの頂点にあり、新人はその運営中枢には係わることができない〔伊藤2007〕。YOSAKOIソーランはこの伝統的な祭の体系を壊し、新たな祭の形を示した。何よりも重要だったのは「やってみたら楽しかった」という経験である。

　新しい事をやってみたら、参加した個人に気づきが生まれ変化が始まり、それが全体の力となって地域を少しずつ変化させていく。個人のマインドセットが解凍され全体に波及していくのである。

（出所）岩崎・高田作成。

3 解凍に不可欠なのは言葉で未来を示すリーダーと
働く賛同者、そして成功体験

　図 6-2 は解凍のプロセスを例にとって図式化したものである。

　変化の三段階（解凍、移動、再凍結）を発生させるために不可欠な要素が以下の 3 つである。

　　① 新しい方向性をつくれる人、語れる人
　　② 一緒にその方向性の PDCA サイクルを回せる協力者
　　③ そして小さな成功体験

　① 新しい方向性をつくれる人、語れる人

　何かが新しくなるためには、新しいこと、面白いこと、変わったことを考え出せる人、そして実行に移そうと汗を流す人が不可欠である。別にカリスマ的な要素を持たなくても良い。目を見張るような高学歴である必要もないし、役場に勤めている必要も社長である必要も社会的地位が高い必要もない。馬鹿者若者よそ者が地域を変えるといわれるが、新しい方向性は違う視点を持っている人がつくる事が多い。しがらみがないし、古いマインドセットを後生大事にする必要がないからである。

　必要なのは、現状を不思議に思い、もしくは新しいものやりたい姿を見つけ、それをやり遂げたいと思う強い気持ちを持つこと、つまり「こうなりたい」のもととなる強い気持ちを持つこと、そして、それを周囲に言葉で描く未来を語ること。この 2 つができる人物の存在である。弁舌爽やかである必要はない。自分の言葉で話せることこそが最も必要である。

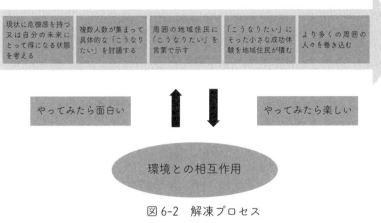

図 6-2　解凍プロセス

（出所）高田作成。

　上勝町、彩りの横石氏は老人に参加して貰うために「地域の人から信頼を得ること」「地域の人の所得を上げること」を心がけて説いて回ったという。決して華々しいプレゼンテーションをしたわけではない。淡々と葉っぱビジネスの未来と、それによってもたらされる地域の未来を語っただけである。

　宮崎県児湯郡新富町で 1000 円ライチを世に出し、それを起爆剤として起業家養成とチャレンジする町づくりで有名になった町役場職員（現こゆ財団出向）の岡本啓二氏は、どんどん活気がなくなっていく町を変えるために、新しい町づくり団体を外部につくりたいと思った。紆余曲折の末、こゆ財団をつくり、旧友の地域プロデューサーの齋藤潤一氏の参画をとりつけ実現する。岡本氏と齋藤氏を中心によそ者を積極的に受け入れ、「強い地域経済をつくる」をミッションに先に述べた 1000 円ランチやこゆ朝市など多くの活動を始めた。齋藤氏は「地域を変えたいという強い思いに打たれた」と当時を語る。

地域を変えようとする強い気持ちを持っていたが、それが現在のような形になっていくのは、実際に行動し、試行錯誤を繰り返しながらである。新しい事をしようとする時に、自分ごととして語れることが最も重要である。

② PDCA を廻す仲間

地域を変えることは一人ではできない。仲間が必要である。地域のために新しいことをやろうとする人を助け、一緒に汗をかく。それぞれが自分のできることで協力し、前に物事がすすむ。財政破綻寸前の海士町の再建プランを町長とともに練ったのは、町役場の職員たちだった。最初に町長が自らの給与の50％カットを宣言すると、職員たちも自らの報酬のカットを申し出たのである。それは、危機感を共有していたためでもあり、新しい事をやろうと奮闘している町長に強く共感したためでもある。最初は、町長に近い若手の職員を中心に始まった再建プランとその実行計画であったが、徐々に職員全体が自分ごととして捉え、1つの実行集団となっていった。その後、自分たちそれぞれの得意分野から農産物や海産物、酪農品など、島まるごとブランド化計画をはじめる。

地域を変えるということには大きな労力とコミットメントを必要とする。同じ思いを持つ仲間をつくることが地域を変える大きな原動力になる。

(1) 仲間の増加プロセス ──影響力のある人を引き入れる──

ではどのようにして仲間は増えていくのだろうか。誰かが「こうなりたい」という具体的な未来予想図を語り始め、それに賛同した個人かもしくは数名が運動に加わってくることからすべては始まる。この未来要図は完全なものでなくてもいい。未来の一部分だけを語っているのでもよい。ど

うなりたいのか、どうしたいのか、何をまずいと思っているのか、新しい方向性を言語化して周囲に何度でも話し、実際に行動をして、周囲からの共感を得ることなしには PDCA サイクルを廻す仲間は増えてはいかない。

　新富町の場合、齋藤氏の参加が契機になり仲間が増えていく。宮崎出身であり、その後大阪でローカルメディアの編集をしていた高橋邦男氏が「地域で何かしたい」と参加する。数珠つなぎのように、多くの「地域で何かやりたい若者」が町内外を問わず参加するようになっている。

　新しい行動様式が広まるプロセスは通常、初期採用者、安全志向の追随者、後期採用者の普及曲線をたどるとされる。Rogers〔2003〕は、初期採用者は全体の 15 ％程度であり、その後多くの人々が賛同するのを見て追随する人が急増し（安全志向の追随者）、最後まで受け入れないもしくは、最後に受け入れるもしくは受け入れない者は 16 ％程度であることを指摘している。

　仲間づくりはコンスタントに増えるものではない。多くの場合、初期採用者すなわち、最初の仲間たちが活動している中で、突然の広がりを見せる。この突然の広がりが始まる時点を転換点、ティッピングポイントとよぶ（図6-3）。ティッピングポイントは偶然におこるものではない。仲間に影響力の強い人間が入り、その人間が多くの人を説き伏せることが重要である。今までと違った背景を持つ人々やグループへのアクセスが可能になることでより多くの広がりをみせる。

　つまり、地域を変えたいと思ったならば活動の初期の段階で地域における影響力の強い人を仲間に引き込むべきである。それは、ひょっとしたら古くから住む老人かもしれないし、PTA で役員をやっている人かもしれない。誰が影響力を持っているのかは興味を持って観察しないとわからない。何かを始めようとすると、最初に集まる人、いわゆる初期変革グルー

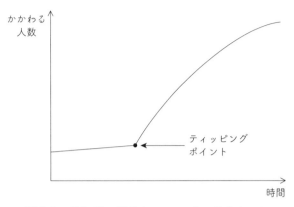

図6-3　参加者の変化とティッピングポイント

（出所）Rogers［2003］をもとに高田作成。

プは、似たような人々が集まる傾向が強い。問題意識が似ている人は、多くの場合、似たようなバックグラウンドを持っているからである。地域の中での影響力の強い人を戦略的に引き入れることによって、自分たちと似ている人々以外に、仲間の広がりをつくることができる。そして新たなバックグラウンドの人が参入することになる。

　数は力である。地域を変える活動には多くの賛同者がいた方がいい。そのためにも、誰が影響力を持っているのか十分に見極めることが重要である。

(2) 外部からの援護射撃

　もう１つ重要なのは、地域外にいる仲間の存在である。違う視点で外部から地域の全体像をみるというのは常に必要な姿勢である。地域をテーマにすると近視眼的に考えがちだからである。違う視点を提供してくれる地域外の仲間の存在は重要で、彼ら彼女らとのやりとりによって新たな視点や知識や知見を得ることができる。又、最新事例や失敗事例の話を聞くこ

とで、自分なりのシミュレーションを行うことができる。それは、自らの考えを磨き上げることにつながるかもしれないし、地域の人々を説得する際の重要な事例になるかもしれないし、外部からの援護射撃を得ることにつながるかもしれない。

　今までこの種の外部の仲間をつくる事は自らが出かけていき、リアルで誰かと会うこと無しにはできなかった。しかし、コロナ禍がもたらしたウェブでの会議やうち合わせの一般化により、物理的にその場所に行かなくてもネットワーキングや意見交換が可能になった。場所は違えども同じ志を持つ人々とのネットワークは財産になる。地域を変えたいと思うのならば積極的に外部とつながるべきである。

●成功体験を持つことが最も重要

　そして、活動が継続するために最も必要なことはどんな小さなことでもよい、成功体験を得ることである。成功体験は最も強い動機付けの要因となる。人は成功体験を持つと、その事象への「やってやろう、やりたい」と思うモチベーションが高くなる。ひたすら負け続けている、つらいことばかりの状態が続くと、どんなに思いが強かったとしてもモチベーションを維持し続けることは難しい。小さな成功体験をこまめに積み重ねることによって、モチベーションを維持し続けることが可能になる。

　成功体験は自分が行った行動に対して、なんらかのフィードバックが発生した時に認知される。仕事と本人の間にフィードバックのサイクルが成立し、それによって成功か否かを知る。成功体験はプロジェクトの成功などの大きな結果である必要はない。予算の獲得であるとか、選挙の成功であるとか、「最終結果」に関連する成功体験ももちろん重要であるが、もっと大事なのは、日々得ることのできる小さな成功体験である。たとえ

ば、　人仲間が増えたとか、つくった書類がわかりやすくてほめられたとか、自分がとった行動が他人から感謝というフィードバックをもらったとか些細なことで良い。

　フィードバックサイクルは早く頻繁に廻した方が成功体験の発生確率が上昇する。もちろん、失敗もあるだろう。しかし、通常、結果の1回フィードバックをするところ、途中経過を段階で分けて、10回フィードバックしてみたとする。そのうちの8回が失敗の結果を廻すことであったとしても、残りの2回が成功体験と考えられるものであったら、たとえ最終的な結果が失敗だったとしても、その体験から2回のプチ成功体験を得ることができる。

　新富町のこゆ財団の最も大事にしていることはスピードであるという。スピードがあると試行錯誤が可能になる。こゆ財団は特産品のライチをブランディングし、当時としては破格の一粒1000円のライチとして世に売り出した。通常のライチと比較しても抜群に糖度の高いライチを「楊貴妃ライチ」と名付けた。そして、ふるさと納税のお返しの品として注目を集めた後に、ケーキ、クラフトビール、アイス、チョコレートとしても、各社とコラボレーションして付加価値を付けて販売し、その収益を原資に、起業家養成のシータートル大学や創業支援カフェ、地域教育などの事業を行っている。フィードバックを早く廻すことによって、係わる人が某かの成功体験を得て、それが評判になりほかの人が引き寄せられる。

　フィードバックをしてくれる人が多くいて、フィードバックサイクルがつくられている場所では、小さな多数の成功体験を積むことが可能となる。情報を共有し、こまめにフィードバックをすることによって、失敗と成功が混在するだろうが、小さな成功体験を得る確率が高まる。これは参加している人間に「自分たちのやっている方向でいいのだという自信」を与え

ることになる。

　成功体験を積むことによって、自分たちがやっていることが決して無駄ではないのだということを強化し、進むべき方向性を確認する。この一連の経験が物事を推し進める原動力になる。

 4　移動の時期 ──抵抗勢力とどう共存するか──

　何かを変えようと行動をしていると、集団は３つに分化していく。変化を求めて活動している人と、それに対して反対行動をしている人、その中間にいる人である。多くの場合、どちらつかずの中間層が最も多い。新しい事を地域で行おうとした際に抵抗勢力にどう対応するかは常に大きな課題である。

●**抵抗勢力は実際に抵抗行動をする集団のことである**

　そもそも抵抗勢力とは何か。

　抵抗勢力は文字通り自分（たち）の行動に対して反対し、明確に対抗する行動をとる人々のことである。抵抗勢力とは、反対の行動をとっている人たちのことを指すのであって、それは敵という意味ではない。考えてもみて欲しい。長い間、ある規則性を持って「そういうものだ」と固まったマインドセットを持った人々が、突然、「そのマインドセットは違っています、変えてください」といったところで、すぐに変化するわけがない。心の中で、変化に賛同していなくても表立って行動を取っていないのであればそれは抵抗勢力ではない。そして、抵抗勢力は決してゼロにはならない。抵抗の度合が低下するだけで、ある動きに対して好ましく思わない者は一定数存在するし、それが普通である。抵抗勢力を撲滅することよりも、

抵抗の度合いを低めることの方が現実的である。

　ではどのように抵抗勢力を扱うか。

> ### ポイント1 👉 抵抗のメカニズムを知り、抵抗する必要がない
> ###　　　　　　　　ことを示す
>
> 　地域の変化に対する抵抗は、新しい事の発生で「自分が予測で
> きない未来」がもたらされる事への恐怖と、今までの自分が「得
> してきたこと」が脅かされる事への不快感からなる。抵抗を少な
> くするためには、自分たちが何をしたいのか。つまり、「こうな
> りたい」の将来図を言葉をつくして相手に示す必要がある。相手
> のマインドセットが変化するための材料を大量に相手に渡すので
> ある。説得するのではない。相手が自ら変化できるように自分た
> ちの描く「こうなりたい」を細部にわたり表現し、それがどのよ
> うに相手の生活にプラスの変化を与えるのかを示すのである。

> ### ポイント2 👉 抵抗しない方が得な状態をつくる
>
> 　人間は新たに発生する事象や環境変化が自分に不利益になると
> 予想すると、抵抗行動を始める。新しいことを行いたい側からす
> れば、自分たちの描く「こうなりたい」が抵抗勢力にとって「お
> 得」となる要素を含んでいるのだということを示すことが不可欠
> である。彼らの持つ不安が「なぜお得か」を丁寧に説明すること
> によって払拭される。そのためには言葉を尽くして「こうなりた
> い」を表現することが不可欠であるし、自分たちの「こうなりた
> い」が実現したときに受ける恩恵を具体的に表現することが必要
> である。その為には、繰り返すが「こうなりたい」を精緻に言語
> 化する能力を磨くことが必要である。

ポイント3 👉 共通の危機感を醸成する

　地域においてはさまざまな価値観を持った人が多くいることが当然で、全員が1つの方向性に向かうことは稀である。例外は共通の危機感を持つことである。先に述べたように、海士町が団結したのも、町の破産という危機が目前に迫っており、それを全員が認知していたからといえる。

　危機の認知には個人差がある。感度の高い人や常に周囲を観察している人は危機への感度が高いだろうし、日常生活を送ることに手一杯な人は危機に対して鈍感になっているだろう。地域に対する共通の危機感を持てるように、危機そのものを具体化し、言葉で伝え、想像力に訴えることが必要となる。

ポイント4 👉 完全な合意形成を狙わない

　そして最も重要なのは、上記ポイント1から3までを実行したとしても、必ずしもすべての人が賛同することはないということを認識しておくことである。最終的には「こうなりたい」を実現することが最も重要で、それにはある程度の強引さが必要になってくる。すべての人が満足している変化なぞは存在しない。「こうなりたい」と反対意見の真ん中をとるような意思決定はすべきではない。「こうなりたい」は行動の核である。地域を変えようという行動は、利害で始まっているものではない。よって、その行動の核が求心力の源である。それを安易に変えることは、求心力の低下を意味することと同義であることを忘れてはいけない。

5　再凍結の段階

　そして、紆余曲折の末に多くの人々が「こうなりたい」を共有した段階が再凍結である。この時点では「こうなりたい」が人々に受け入れられるか入れないかは別として８割ぐらいの人が知っている状態である。多くの人がその実現に何らかの形で参加している、もしくは理解している状態である。ここでは３つの選択肢が発生する。第一は、現状維持である。第二は「こうなりたい」のより一層のバージョンアップとその為の活動である。第三は全く違う新たな「こうなりたい」へ向けての試行錯誤である。

　最初の現状維持を選択する場合は、より多くの人の支持を取り付けるための行動が必要となる。今まで以上に丁寧に自分たちの「こうなりたい」を知ってもらうことが重要になる。第二の「こうなりたい」のバージョンアップを目指す場合は、活動しながら出てきた問題点や、新しい視点、それから来る新しい事業の拡大に積極的に取り組むことが求められる。多くの地域は第二の方向を進む。たとえば、こゆ財団はライチの成功を元手に起業家養成プログラムを運営し、地域の資源から新たな特産品を生み出すことを次の目標としている。さまざまな「こうなりたい」をどんどん発展させることが彼らの活動の原動力となっている。

　そして、第三の方向である全く違う新たな「こうなりたい」への活動は、時間的に現状の「こうなりたい」が一段落し、飽和したときに訪れる。新たなよそ者、馬鹿者、若者が現れ次の「こうなりたい」を模索し新たな活動が始まる。

　皆さんの地域はどの道を行くのだろうか。決めるのは地域の皆さんである。

おわりに

●これまでの価値観の転換 ——自己実現と地域——

　地方都市の若者たちの中には、お金や地位を中心とした生き方ではなく、個人の自己実現や地域の人たちとつくるコミュニティの中に幸せを求める動きが生まれはじめている。もちろん、そこには生きていくだけの経済活動がなければならないが、その糧を得ることと自己実現を一体化し、日々頑張っている人たちが増えている。競争より共創である。その流れは、コロナ禍以降一層強まっている。市場を拡大しながら、ひたすら儲けを追求するという高成長を前提とした生き方では、強者の一人勝ちになり、多くの人たちは、満足感を得られない。勝ったものが利潤を独り占めしていく現代の社会のあり方は、本来「和」を大切にする日本人にとっては本能に反する心地よくない状況なのではないだろうか。幸せの尺度をほかとの比較ではなく、自己実現に向けるとすれば、それは日本の地域には、多くのステージがあり、それぞれの活躍の場があるといえる。ずっと代々その地に住んでいる人、Uターンで戻ってきたもの、新たな活路を求めてIターンで移住したもの、それぞれにとって地域は異なる意味を持つが、それぞれが自己実現するための多くのステージがある。「これで、いいのだ」という赤塚不二夫氏のまんが『天才バカボン』のパパの究極の自己肯定フレーズがあるが、その考えを援用し、「ここが、いいのだ」という自地域肯定の考え方を原点として、地域を見つめ、大事なものを磨き・整備し、自信を持って発信していく。そういった姿勢がこれからの地域づくりには必要だろう。

私の元部下で鳥取県の出身者がいる。彼女の言った言葉が忘れられない。「鳥取県出身者は、必ず１つは誇れる体験を持っている！」。人口が少ないから、一生懸命頑張ることで、地域の代表になれたり、部活のレギュラーになれたり、町のコンクールの一等になったりできるのだという。彼女も書道で学校の代表として全国大会に出たと言っていた。ほかのどの地域の人より成功体験を持てる可能性が高いのだという。東京や大阪などの大都市では、地域の代表としてスポーツ大会などに出るのは至難の業である。しかし、人口が少ないというのは、それだけ個人が目立つということであり、大都市で個人が大衆の中に埋もれてしまうのとは対照的である。みんなが一律に同じステージで競い１番を目指すのではなく、それぞれが個々のステージで際立てばいいのではないだろうか。超低成長の成熟社会では、まさにそれぞれが持つ個性やそこにしかない真正性が重要である。

　トロント大学教授で社会学者のリチャード・フロリダが、『クリエイティブ・クラスの世紀（*The Fight of the Creative Class*）』（2002）の中で提示しているが、クリエイティブ・クラスは、雑然とした大都会ではなく、居住環境のよい地域に集まるという。フロリダのいうクリエイティブ・クラスとは、科学、工学、教育、芸術、デザイン、メディア関係、商業・金融業、法律部門など、情報発信力や創造性ある仕事を行うものたちと広く捉えている。日本においても、東京ではなく、地方都市に仕事場を持ち、そこから小説や音楽、アニメなどの作品を発表しているクリエイティブ人材が増えている。リモートでの会議、医療、エンターテインメントなどが一般化してきた現在、情報を発信する場所は、大きな問題ではなくなっている。大都市の持っている利便性はもちろんあるが、地方都市はそれ以外の環境のよさ、コミュニティ、雑音のなさなど多くの部分のクリエイティブ環境で勝っている。地域にはそういった明日を志す若者やこれまで東京や

大阪で頑張ってきたさまざまな分野の知識やスキルを持つ者たちが住みやすく、活躍しやすい環境をつくり支援することも重要だろう。そして何より、人間が生きる上で最も重要な澄んだ水と空気がある。

　近年、日本から世界を動かすようなイノベーションが起きていないが、地域の町から小さく始まったものづくりや仕組みが、次世代のイノベーションへとつながっていく可能性も高い。なぜなら、大都市にはない新たな視点や文脈から発想できる環境があるからだ。

●そしてこれから

　コロナ禍により、近隣を旅するマイクロツーリズムが叫ばれたり、さらには移動を伴わないオンラインツアーが行われたりした。人々のこれまでの意識は、旅とは肉体の移動を伴うものと断じていたはずだ。観光学においても、観光は「日常空間から非日常的な空間へ一定期間移動し戻って来る行動」というのが基本的な定義である。しかし、コロナ禍によって、肉体の移動を伴わない旅のカタチが現れ、人々はそれを仕方なくではあるが享受した。五感で地域を感じるリアルな旅には、到底及ばない満足感ではあるが、非日常への体験という意味では、一定の価値のある体験だと感じた人も多かったはずだ。人が旅に出るには、その先に想定できる快楽があるにしろ、精神的リスク、金銭的リスク、肉体的リスク、時間的リスクなどを乗り越えて行わなければならない。そういったリスクを極めて低く抑えて行えるオンラインツアーは、実施の仕方によっては、非日常を味わえる重要な施策になっていくだろう。地域もそういった、リモート地域体験をうまく利用し、地域を最大限アピールする施策を考え展開することも今後は有効な手段となるだろう。地域の歴史家や海産物・農産物の生産者、醸造家など、その道の名物案内人によるオンラインツアーなら、ぜひ参加

してみたいと思う人は多いはずだ。これまでのシティセールス施策にこだわらない新たな施策の展開が重要となっている。

　もちろん、これまでのような地域を訪れる旅が主流であり、そこに行くことに価値があることには変わりはないが、旅のフェーズが２つあってもいい。気軽に楽しめるオンラインツアーと、しっかり全身で旅を享受できるリアルな旅。お試しの旅と本気の旅といった考え方もできるだろう。

　生まれたときから身近にスマートフォンがあり、ゲームや YouTube で育った世代にとって、リアルとバーチャルの使い分けは自然なことである。やがて、旅の定義も変わるだろう。「肉体および精神の一定期間の移動を伴う非日常体験」と。オンラインでの経験が進む一方で、地域でのリアル体験や地域の人々とのつながりは、今以上に貴重な体験になるだろう。地域のマネジメントには、さらなる複合性と戦略性が求められている。

　2021 年 2 月

岩崎達也

謝　辞

　この本は筆者二人が、勤務先の法政大学経営大学院イノベーション・マネジメント研究科（通称イノマネ）で、地域の活性化ついて話し合ったことから始まった。岩崎は当時住んでいた福岡の人々の「熱さ」に感銘を受け、高田はイノマネで設置した GMBA（Hosei Business School Global MBA）の演習で留学生を一人一都市の役所に１ヶ月間派遣し、日本で働くことを体験してもらうというプログラムの立ち上げに多くの地方都市にお願いに駆け回っていた時期だった。

　その後、様々な地方の地域とお付き合いを深める中で、私たちの国の素晴らしさが身に染みるようになった。同時に地方が抱える問題も自分ごととして実感するようになった。マーケティング学者と組織行動の学者がそれぞれの視点から地域を見つめて生まれたのが本書である。地方の分析マトリックスとして開発した TAI モデルは、寒い日にイノマネの高田の研究室で、小さなホワイトボードに書き込みながらディスカッションし生まれたものである。TAI モデルを含め、本書が地域に関わる皆さまのお役に立つことができればこれ以上の喜びはない。各地で TAI モデルに書きこんで、自分たちの土地の持つ素晴しさと弱さを是非可視化して欲しい。そこから知恵を出し、一方で新しい地域づくりに役立てていただければと切に願っている。新型コロナウィルスがもたらした地域経済への打撃は根深い。しかし視点を変えれば「皆が危機と思っている状態」である今は、変革の機会なのかもしれない。

　最後に、本書は晃洋書房の丸井清泰さんの献身的な力添え無くては世に

出なかったのは間違いない。絶妙なピンポイントで下さる指摘が筆者たちの支えであった。心からの謝辞を申し上げたい。同時に編集部の坂野美鈴さんの適切なアドバイスにもお礼を申し上げる。各地域で体験を私たちに伝え、陰に日向にご協力下さった岐阜県庁、沖縄県庁の皆さまをはじめとする自治体や関係者の皆さま方、調査を手伝ってくれた栗原啓悟さん、イノマネ卒業生の皆さんにもお礼を申し上げる。

2021 年 2 月

高田朝子

附　録

TAI とチェックリスト

1 あなたの地域の TAI をつくろう

現代につくられた箱物資源 <美術館 会議場 博物館>	生活支援資源 <医療 起業 企業 移住生活支援 学校>	地域の物語資源 <コンテンツ アニメ 地域の物語>
歴史的建築物資源 <城 町並み>	県民性 <地域性>　　地域の英雄	地域イベント <祭 イベント>
自然資源 <海山>	食べ物資源 <農産物 海産物 畜産>	伝統工芸物

2 TAI に書き込んだものもいれて、

あなたの地域の資産と負債に分けてみよう

TAI 番号	地域の資産と考えるもの	TAI 番号	地域の負債と考えるもの

3　あなたの地域の TAI から導き出した「こうなりたい」を描いてみよう

私の地域の〇〇年後の「こうなりたい」姿
3行で記載する

あなたの地域でなんとかしなくてはいけないものは何ですか
1つにつき1行をつかい、合計5つあげてみよう。

4　チェックリスト

	現状到達度	今後の計画
なりたい姿はなにか		
その為に必要な資源はなにか		
仲間を何処で見つけるか		
どのように仲間と連絡をとるか		
抵抗勢力は誰か		
抵抗勢力を司るのはだれか		
抵抗勢力はどのような性質か		
どのように抵抗勢力に対応するか		
「こうなりたい」を実現するために何が必要なリソースか		
誰を動かすか		
役所関係をどう巻き込むか		
金融資源はどうするのか		
情報源をどう確保するのか		
外部の専門家とのネットワークはあるかどう構築するか		

参 考 文 献

〈邦文献〉

加護野忠男［1980］『経営組織の環境適応』白桃書房。

佐藤尚之［2018］『ファンベース──支持され、愛され、長く売れ続けるために
　　──』筑摩書房。

嶋浩一郎・松井剛［2017］『欲望する「ことば」──「社会記号」とマーケティン
　　グ──』集英社。

田中章雄［2008］『事例で学ぶ！　地域ブランドの成功法則 33』光文社。

電通 abic project 編［2009］『地域ブランドマネジメント』有斐閣。

博報堂行動デザイン研究所・國田圭作［2016］『「行動デザイン」の教科書──人を
　　動かすマーケティングの新戦略──』すばる舎。

博報堂地ブランドプロジェクト編［2006］『地ブランド──日本を救う地域ブラン
　　ド論──』弘文堂。

橋爪紳也監修・加藤正明［2010］『成功する「地域ブランド」戦略』PHP 研究所。

二村宏志［2008］『地域ブランド戦略ハンドブック──この 1 冊で、明日から地域
　　のブランド戦略が企画できる！──』ぎょうせい。

細谷正人［2015］『Brand　STORY　Design ──ブランドストーリーの創り方──』
　　日経 BP 社。

ヤン・カールソン［1990］『真実の瞬間── SAS のサービス戦略はなぜ成功したか
　　──』堤猶二訳、ダイヤモンド社。

和田充夫［2002］『ブランド価値共創』同文舘出版。

〈欧文献〉

Boorstin, D. J.［1962］*The Image: A Guide to Pseudo-events in America,* New
　　York : Atheneum（後藤和彦・星野郁美訳『幻影の時代──マスコミが製造する
　　事実──』東京創元社、1964 年）.

Florida, R. L.［2002］*The Flight of the Creative Class,* New York : Collins（井口典
　　夫翻訳『クリエイティブクラスの世紀 』ダイヤモンド社、2007 年）.

Kotler, P., Haider, D. H. and Rein, I. J. [1993] *Marketing Places : Attracting Investment, Industry, and Tourism to Cities, States, and Nations*（前田正子・千野博・井関俊幸訳『地域のマーケティング』東洋経済新報社、1996 年）.

Kotler, P., Kartajaya, H. and Setiawan, I. [2017] *Marketing 4.0 : Moving from Traditional to Digital,* Hoboken, N. J. : Wiley（恩藏直人監修・藤井清美翻訳『コトラーのマーケティング 4.0　スマートフォン時代の究極法則』朝日新聞出版、2017 年）.

Lawrence, P. R., and Lorsch, J. W. [1967] *Organization and Environment,* Boston, MA: Harvard Business School, Division of Research（Reissued as a Harvard Business School Classic, Harvard Business School Press, 1986）.

Lewin, K. [1951] *Field Theory in Social Science : Selected Theoretical Papers,* edited by Cartwright, D., New York : Harper（猪股佐登訳『社会科学における場の理論』誠信書房、1956 年）.

Rogers, E. M. [2003] *Diffusion of innovations,* 5th ed., New York : Free Press（三藤利雄訳『イノベーションの普及』翔泳社、2007 年）.

〈新聞記事〉

「パーティしながら空き家再生」『日本海新聞』2017 年 8 月 8 日。

〈ウェブサイト〉

『今夜くらいトットリの話を聞いてくれないか』鳥取市ホームページ（https://www.youtube.com/watch?v=-tpMsZ3T4V0, 2020 年 8 月 19 日閲覧）。

「関門時間旅行 Web サイト」（www.kanmontime.com, 2020 年 7 月 27 日閲覧）。

MAP 玄関口プロジェクト 2019　事業計画書。

『家事シェア力全国総合ランキング』大和ハウス工業　トライ家ガイド　https://www.daiwahouse.co.jp/tryie/column/build/kajishare_ranking/, 2020 年 8 月 10 日閲覧）。

索　引

124

●●● 著者紹介 ●●●

岩崎 達也（いわさき たつや）［はじめに、第2章、第3章、第4章、おわりに］
法政大学大学院政策創造研究科博士後期課程単位取得退学、修士（経営学）。
現在、関東学院大学経営学部教授、法政大学経営大学院イノベーション・マネジメント研究科兼任講師。博報堂にてサントリー、JRA、カネボウ化粧品などの広告制作、日本テレビにて宣伝部長、編成局エグゼクティブディレクターなどを歴任。
主要業績
『メディアの循環 伝えるメカニズム』（共編著）生産性出版、2017年。
『日本テレビの1秒戦略』小学館新書、2016年。
読売広告賞、グッドデザイン賞等受賞。

高田 朝子（たかだ あさこ）［はじめに、第1章、第5章、第6章、謝辞］
慶應義塾大学大学院経営管理研究科博士課程修了、博士（経営学）。
現在、法政大学経営大学院イノベーション・マネジメント研究科教授。
モルガン・スタンレー証券会社勤務を経て、Thuderbird国際経営大学院（修士）、慶應義塾大学大学院経営管理研究科修士課程修了（MBA）、博士課程修了。
主要業績
『女性マネージャーの働き方改革2.0──「成長」と「育成」のための処方箋──』生産性出版、2019年。
『女性マネージャー育成講座』生産性出版、2016年。
『人脈のできる人 人は誰のために「一肌脱ぐ」のか？』慶應義塾大学出版会、2010年。

本気で、地域を変える
──地域づくり3.0の発想とマネジメント──

| 2021年2月10日 初版第1刷発行 | ＊定価はカバーに |
| 2021年4月25日 初版第2刷発行 | 表示してあります |

著　者　　岩　崎　達　也 ©
　　　　　高　田　朝　子

発行者　　萩　原　淳　平

印刷者　　田　中　雅　博

発行所　株式会社　晃　洋　書　房

〒615-0026 京都市右京区西院北矢掛町7番地
電話　075(312)0788番(代)
振替口座　01040-6-32280

装丁　もろずみ としよ　　　印刷・製本　創栄図書印刷㈱
ISBN 978-4-7710-3430-3

池田 潔・前田 啓一・文能 照之・和田 聡子 編著　　　　　A 5 判 238 頁
地域活性化のデザインとマネジメント　　　　　定価 2,970 円（税込）
──ヒトの想い・行動の描写と専門分析──

田中 宏 編著　　　　　　　　　　　　　　　　　　　　A 5 判 260 頁
協　　働　　す　　る　　地　　域　　　　　定価 3,190 円（税込）

ジェームス・ハイアム・トム・ヒンチ 著、伊藤央二・山口志郎 訳　　菊判 226 頁
スポーツツーリズム入門　　　　　定価 2,970 円（税込）

藤稿 亜矢子 著　　　　　　　　　　　　　　　　　　　A 5 判 186 頁
サ ス テ ナ ブ ル ツ ー リ ズ ム　　　　　定価 2,420 円（税込）
──地球の持続可能性の視点から──

徳田 剛・二階堂 裕子・魁生 由美子 編著　　　　　　　A 5 判 234 頁
地方発 外国人住民との地域づくり　　　　　定価 2,640 円（税込）
──多文化共生の現場から──

竹内 裕二 著　　　　　　　　　　　　　　　　　　　　四六判 240 頁
地 域 メ ン テ ナ ン ス 論　　　　　定価 2,640 円（税込）
──不確実な時代のコミュニティ現場からの動き──

小長谷 一之・福山 直寿・五嶋 俊彦・本松 豊太 著　　　A 5 判 306 頁
地　域　活　性　化　戦　略　　　　　定価 2,970 円（税込）

濱田 恵三・伊藤 浩平・神戸 一生 編著　　　　　　　　A 5 判 160 頁
地 域 創 生 の 戦 略 と 実 践　　　　　定価 2,090 円（税込）

小山 弘美 著　　　　　　　　　　　　　　　　　　　　A 5 判 272 頁
自治と協働からみた現代コミュニティ論　　　　　定価 3,190 円（税込）
──世田谷区まちづくり活動の軌跡──

岡井 崇之 編　　　　　　　　　　　　　　　　　　　　A 5 判 246 頁
ア ー バ ン カ ル チ ャ ー ズ　　　　　定価 2,860 円（税込）
──誘惑する都市文化，記憶する都市文化──

山谷 清志 監修、源 由理子・大島 巌 編著　　　　　　　A 5 判 260 頁
プ ロ グ ラ ム 評 価 ハ ン ド ブ ッ ク　　　　　定価 2,860 円（税込）
──社会課題解決に向けた評価方法の基礎・応用──

晃 洋 書 房